读客文化

楚留香新传 3

桃花传奇

古 龙 著

文匯出版社

图书在版编目（CIP）数据

楚留香新传. 3，桃花传奇 / 古龙著. -- 上海 ：文汇出版社，2019.1

（古龙文集）

ISBN 978-7-5496-2576-5

Ⅰ. ①楚… Ⅱ. ①古… Ⅲ. ①侠义小说—中国—当代 Ⅳ. ①I247.5

中国版本图书馆CIP数据核字（2018）第114144号

著作权合同登记号：09-2018-480

楚留香新传3：桃花传奇

作　　者 / 古　龙

责任编辑 / 徐曙蕾
特邀编辑 / 宗建华　周奥扬
排版设计 / 黄巧玲
封面装帧 / 文　薇

出版发行 / 文汇出版社
上海市威海路755号
（邮政编码200041）
经　　销 / 全国新华书店
印刷装订 / 北京中科印刷有限公司
版　　次 / 2019年1月第1版
印　　次 / 2019年1月第1次印刷
开　　本 / 890mm×1270mm　1/32
字　　数 / 221千字
印　　张 / 9

ISBN 978-7-5496-2576-5
定　　价 / 48.00元

目　录

楔　子

“江山代有才人出，一代新人换旧人。”

这是句俊话，也是句老话。但又俗又老的话，通常都是很有道理的话。否则这些话也就不会留传得这么老，这么俊了。

尤其是在几乎从未有过一日平静的江湖中，更是英雄辈出。动荡的时势最容易造就英雄。各式各样的英雄：有好的英雄，有恶的英雄；有成名的英雄，也有无名的英雄；有成功的英雄，也有失败的英雄。

在这许许多多、形形色色的英雄中，引起争议最多、被人谈论得最多的，恐怕是楚留香了。

他活着的时候，就已成为一个充满传奇性的人物。

江湖中人人都知道有楚留香这么样一个人，但却没有人知道他在哪里，多大年纪，甚至没有人知道他长得什么样子。

大家只知道一件事，而且相信。

“楚留香若要在今天晚上偷光你的裤子，你明天早上就只有裹着棉被出去买裤子。”

有很多人甚至相信，他能在你不知不觉中偷掉你的脑袋。

楚留香的确偷，但却绝没人说他是小偷。

有人骂他是流氓，有人骂他是强盗，但却从来没有人骂过他是小偷。

因为他就算是偷，也偷得漂漂亮亮，偷得光明磊落。

尊敬他的人都称他为“楚香帅”。不尊敬他的人，当着他的面，也不能不称一声“楚香帅”。

就连那些骂他的人，也不能不承认，他纵然是流氓中的君子，纵然是强盗，也是强盗中的大元帅。

无论他是什么，他都是独一无二，甚至可以说是空前绝后的。

他究竟是什么呢？

他当然是个人，有人性中善的一面，也有恶的一面，只不过他总能将恶的那面控制得很好。有时他也会做出很傻的事，傻得连自己都莫名其妙，但大多数时候他都很冷静。

冷静并不是冷酷，他的心肠并不硬，所以他偶尔也会上一两次当，只不过他总能很快发觉，且就算上了当，也能一笑置之。

因为他看得很开。

在他心里，世上好像并没有什么真正不能解决的困难。所以没有什么真正能令他苦恼的事。

他的鼻子从小就有毛病，所以时常都忍不住要摸摸鼻子。

但这毛病也从来没有让他苦恼过。这条路不通，他就换一条路走；鼻子不通，他就训练自己用别的方法呼吸。这法子有一次居然还救了他的命。

人生中往往有很多奇妙有趣的巧合，凡是伟大的画家眼睛往往不太好，伟大的乐师耳朵往往不太灵。

楚留香的鼻子不好，却最喜欢香气。

他每做了一件很得意的事后，就会留下一阵淡淡的，带着郁金芬芳的香气。

这也许就是楚留香这名字的由来。

其实世上根本没有人知道他这名字的由来。假如还有一个人知道，那人就是胡铁花。

胡铁花是他最老的朋友。

胡铁花也是个妙人，他喜欢找楚留香拼酒，喜欢学楚留香摸鼻子，有时还喜欢臭楚留香几句，找找楚留香的麻烦。

但楚留香真的有麻烦，他立刻就会去拼命。

他当然也和楚留香一样，喜欢酒，喜欢女人，喜欢管闲事，抱不平。

只不过他却有件楚留香所没有的烦恼。

喜欢他的女人，他都不喜欢，他喜欢的女人，都不喜欢他。

楚留香的确喜欢女人。

他常常说："无论哪种女人，都一定有她可爱的地方，你只要耐心去找，一定可以找得到。"

所以几乎每种女人都喜欢，只不过喜欢的方式不同。

在淑女面前，他是君子；在荡妇面前，他就是流氓。

有的女人只要一被他看见，就休想逃得了。但也有些女人跟他一起生活了十几年，几乎日日夜夜都和他厮守在一起，他对她们却始终都是规规矩矩的，拿她们当自己的妹妹，当自己的朋友。

有人说："男女间没有友情。"世上也许没有几个男人能真正将女人看成朋友的，楚留香却无疑是其中之一。楚留香更喜欢朋友。

他的朋友中有少林寺方丈大师，也有满街去化缘的穷和尚；有冷酷无情的刺客，也有瞪眼便杀人的莽汉；有才高八斗的才子，也有一字不识的村夫；有家财万贯的大富豪，也有满头癞痢的小乞丐……

这些人多多少少都受过他一点恩惠，得过他一点好处。

他做过的好事不少，傻事也不少。他几乎什么事都做，只除了一件事。

他从不做自己不愿意的事，这世上绝没有任何人能勉强他！

以前没有，以后也不会有。

这就是楚留香！独一无二的楚留香。

第一章

万福万寿园

楚留香喜欢女人。

女人都喜欢楚留香。

所以有楚留香的地方，就不会没有女人。

别人问他，对女人究竟有什么秘诀，他总是笑笑——他只能笑笑，因为，他自己也实在有点莫名其妙。他常在些莫名其妙的情况下，认得一些很妙的女人。

他认得沈珊姑时，沈珊姑刚从房上跳下来，手里拿着一把快刀，要杀他。认得秋灵素时，秋灵素正准备自杀。

他在没有水的沙漠认得石观音，却是在水底下认得阴姬的。

他认得宫南燕时，宫南燕正坐在他的椅子上，喝他的酒。认得石绣云时，石绣云却正躺在别人的怀抱里。

他在伸手不见五指的地方认得东三娘，在死尸旁认得华真真。

他认得琵琶公主时，琵琶公主正在洗澡。认得金灵芝时，正在洗澡的却是他自己。

有时他自己想想这些事，自己都觉得好笑。

但无论怎样说，最可笑最莫名其妙的，还要算是认得艾青那一次。

他能够认得艾青，只因为艾青放了个屁。

有很多人认为只有男人才放屁，这也许是因为他们没有见过女人放屁。

其实女人当然也放屁的。

女人的生理构造和男人并没有什么两样，有屁要放时，并不一定能忍住，因为有些屁来时就像血衣人的快剑，来时无影无踪，令人防不胜防。

但世上有很多事都不公平，男人随便在什么地方，随便放多少屁，都没有什么太大的关系。

女人若在大庭广众间放了个屁，那就是不得了的大事了。据说以前曾经有个女人，只因为在大庭广众间放了个屁，回去就自己找根绳子上吊了。

这种事虽不常有，但你却不能不信。

春天。

万福万寿园。

万福万寿园里的春天也许比世上其他任何地方的春天都美得多，因为别的地方就算有如此广大的庭园，也没有这么多五彩缤纷的花；就算有这么多花，也没有这么多人；就算有这么多人，也绝没有如此多彩多姿。

尤其是在三月初七这一天。

这天是金太夫人的八十大寿。

金太夫人也许可以说是世上最有福气的一位老太太了。

别人就算能活到她这样的年纪，也没有她这样的荣华富贵；就算有这样的荣华富贵，也没有她这样多子多孙；就算有这么多子孙，也不会像她这样，所有的子孙都能出人头地。

最重要的是，金太夫人不但有福气，而且还懂得怎么样去享福。

金太夫人一共有十个儿子，九个女儿，八个女婿，三十九个孙儿孙女，再加上二十八个外孙。

她的儿子和女婿有的是总镖头，有的是总捕头，有的是帮主，有的是掌门人，可说没有一个不是江湖中的顶尖高手。

其中只有一个弃武修文，已是金马玉堂，位居极品。还有一个出身军伍，正是当朝军功最盛的威武将军。

她有九个女儿，却只有八个女婿，只因其中有一个女儿已削发为尼，投入了峨眉门下，承继了峨眉苦恩大师的衣钵。

她的孙女和外孙也大都已成名立万。

她最小一个孙女儿，就是金灵芝。

金灵芝是同时认得楚留香和胡铁花的——他们正在澡堂里洗澡，她突然闯了进去。

无论谁都不能不承认这是个很奇特、很刺激的开始，但他们认得后共同经历的事，却更奇特刺激。

他们曾经躺在棺材里在大海上漂流，也曾在暗无天日的地狱中等死，他们遇到过用渔网从大海中捞起的美人鱼，也遇到过终生不见光明的蝙蝠人。

总之他们是同生死、共患难的伙计，所以他们成了好朋友。

胡铁花和金灵芝的交情特别不同。

金老夫人的八十大寿，他们当然不能不来，何况胡铁花的鼻子，早已嗅到万福万寿园窖藏了二十年的好酒了。

金灵芝坚决不要他们送礼，只要他们答应一件事：“不喝醉不准走。”

楚留香也要她答应一件事：“不能在别人面前说出我们的名字。”

胡铁花很守信。

他已醉过三次，还没有走。

他们初三就来了，现在是初七，来的客人更多，认得楚留香真面目的人却几乎连一个也没有。

金灵芝也很守信。

她并没有在任何人面前泄露楚留香的身份。

所以楚留香还可以舒舒服服地到处逛逛，他简直已逛得有点头晕，这地方实在太大，人实在太多。

初七这天正午，所有的人都要到大厅去向金太夫人拜寿，然后吃寿面。

万福万寿园厅再大，也容纳不了这么多人，所以客人只好分成三批，每一批都还是有很多人。

楚留香是第三批。

他本来是跟胡铁花一起从后园走出来的，走到一半，胡铁花忽然不见了。

人这么多，要找也没法子找。

楚留香只有一个人去。他走进大厅时，人仿佛已少了一些，有的人已开始在吃寿面，有些女孩子从两根筷子间偷偷地瞟他。

楚留香就算不是楚留香本人，也是个很有吸引力的男人。

他只有低下头，眼观鼻，鼻观心，规规矩矩地走到前面去拜寿。

他并不是这么规矩的人，但金太夫人正在笑眯眯地看着他——金灵芝在祖母面前是从来不敢说谎的。

金太夫人既然知道他是谁，在这么样一位老太太面前，楚留香也只有尽力做出规规矩矩的样子来。

他实在被这位老太太看得有点头皮发炸。金太夫人在看着他的时候，就像在看着未来的孙女婿似的。

楚留香只希望她别要弄错了人。他硬着头皮走过去，仿佛觉得有个人走在他旁边，而且是个女人，一阵阵香气，直往他鼻孔钻。

他真想回头看看。就在这时，他忽然听到“噗——”的一声。

除了楚留香外，至少还有七八十个人也听到了这“噗”的一声。

第一，因为在金太夫人面前，大家都不敢放肆，所以寿堂里人虽多，却并不太吵。

第二，因为这声音特别响。

只要放过屁的人就都听得出这是放屁的声响。

每个人都放过屁。

这个屁除了特别响一点之外，也没有其他什么特别的地方。

只不过它实在不该在这时候放，不该在这地方放，更不该就在楚留香身边放。

楚留香眼睛忍不住往旁边瞟了瞟，站在他身旁的果然是个女人。

这女人不但很香，而且很美，很年轻。

楚留香暗中叹了口气，因为这时已有七八十双眼睛向他这边看了过来，眼睛里带着点惊异带着点好奇，也带着点讥笑之意。

楚留香当然知道这屁不是他放的，但若不是他放的，就是这又香又美又年轻的女孩子放的。

一个君子怎么能让一个如此美丽的少女承担放屁的罪名？

尤其当这女子正可怜兮兮地瞧着他，向他求助的时候，就算不是君子，也会挺身而出的。

楚留香虽没有当众说出“屁是我放的”这句话，但他脸上的确已做出放过屁的表情，而且让每个人都能够看得出来。

那女孩子看着他时，却好像正在看着一个从千军万马、刀山火海中，冒着九死一生，将她救出来的英雄似的。

只要能被女孩子这么瞧一眼，这一点点牺牲又算什么呢？

为了一个如此美丽的少女，楚留香以前也不知做过多少比这次更牺牲惨重的事。

为了救一个如此美丽的少女，你就算要楚留香独力去对付三只老虎，两头狮子，他也有勇气去。

他对付过的人甚至比狮子老虎还可怕十倍。

但他却实在没有勇气再坐下来吃寿面了，现在至少还有四五十双眼睛在看着他，其中至少有二十双是女孩子的眼睛。

用最快的速度拜完了寿，他就溜了出去。

院子里也有很多人，三三两两地聚在一起，有说有笑。

这些人大都是武林中的知名之士，其中也有几个是楚留香认得的。

他们却不认得楚留香，当然也不知道刚才的事，但楚留香却总觉得有点心虚，在大庭广众间放屁，毕竟不是件很光彩的事。

所以只要别人一看他，他就想溜。

他从前面的院子溜到花园，又从花园溜到后花园。

他忽然发觉后面有个人一直在盯着他。

他走到哪里，这人就跟到哪里，他停下来，这人也停下。

他虽没有看见这人，却已感觉到。

世上绝没有任何人能在暗中盯住楚留香，而能不让他发觉的。

楚留香故意做出一点也没有发觉的样子，施施然走过小桥。

小桥在荷塘上，荷塘旁有座假山。

他走到假山后，假山后总算没有人了，但这人居然还敢跟过来。

脚步很轻，不懂得轻功的人，脚步声总不会这么轻。

楚留香忽然回过头，就看到了她。

她穿着件淡青色的春衫，袖子窄窄的，式样时新，上面都绣着宝蓝色的花，配着条长可及地的宝蓝色百褶裙。

楚留香对她第一眼印象是："这女孩子很懂得穿衣服，很懂得配颜色。"

她袅袅婷婷地站在假山旁，低着头，咬着嘴唇，一双纤纤玉手，正在轻轻拢着鬓边被春风吹乱了的头发。

楚留香对她第二个印象是："这女孩子的牙齿和手都很好看。"

她脸上带着红晕，艳如朝霞，一双黑白分明的剪水双瞳，正在偷偷地瞟着楚留香。

楚留香对她第三个印象是："这女孩子全身上下都好看。"

其实他并不是第一次看到她。

她就是刚才在寿堂里站在他旁边的那女孩子。只不过楚留香刚才并没有看清楚她。

在那么多人面前，他实在不好意思看。

现在他可以看了。

能仔细欣赏一个如此美丽的女孩子，实在是种很大的享受。

那女孩子的脸更红了，突然一笑，嫣然道："我叫艾青。"

她第一句话就说出了自己的名字。

楚留香倒也没有想到，但他却懂得，女孩子肯在一个陌生的男人面前说出自己的名字，至少就表示她对这男人并不讨厌。

艾青低着头，道："刚才若不是你，我……我简直非死不可。"

楚留香笑笑。

只不过为了个屁，就要去死，这种事实在不能理解。

他只能笑笑。

艾青又道："救命之恩，我虽不敢言谢，却不知该怎么样报答你才好。"她愈说愈严重了。

楚留香只有笑道："那只不过是件小事，怎么能谈上救命之恩！"

艾青道："在你说来虽是小事，在我说来却是天大的事，你若不让我报答你，我……我……"

她忽然抬起头，脸上露出很坚决的表情，道："我就只好死在你面前。”

楚留香怔住了。他做梦也想不到她会将这种事看得如此严重。

艾青好像还怕他不相信，又补充着道：“我虽然是个女人，但也知道一个人若想在江湖中站住脚，做事就得要恩怨分明，我不喜欢人家欠我的情，也从不欠人家的。你若不让我报答你，就是看不起我，一个人若被人家看不起，活着还有什么意思？”她本来好像很不会说话，很温柔，很害羞，但这番话却说得又响又脆，几乎有点像光棍的口气了。

楚留香苦笑道：“你想怎么报答我呢？”

艾青郑重道：“随便你要我怎么样报答你，我都答应。”

她脸上又起了红晕，但眼睛却直视着楚留香，说话的声音中更带着种说不出的诱惑。

大多数男人听了这种话，看到这种表情，都一定会认为这女孩子在勾引他，因为男人多多少少都免不了有点自作多情。

不明白她这意思的男人，若不是聪明得可怕，就是笨得要命。

楚留香也不知是真的不懂，还是假的不懂，手摸着鼻子，忽然道：“你若一定要报答我，就给我五百两银子吧。”

艾青好像吓了一跳，道：“你要什么？”

楚留香道：“五百两银子，没有五百两，减为一半也好。”

艾青瞪大了眼睛，道：“你不要别的？”

楚留香叹道：“我是个穷人，什么都不缺，就只缺点银子。何况，一个人若想报答别人，除了给他银子外，还有什么其他更好的法子呢！”

艾青瞪着他，本来显得很惊讶，渐渐又变得很失望，嫣红的面颊也渐渐变得有点发青，忽然长长叹息了一声，道：“想不到你这人竟是个呆子。”

楚留香眨眨眼，道：“我是不是要得太少了？是不是还可以多要些？”

艾青咬着嘴唇，道：“一个女人若想报答男人，其实还有种更好的法子，你难道不懂？”

楚留香摇头，道：“我不懂。”

艾青跺了跺脚，道：“好，我就给你五百两。”

楚留香展颜笑道：“多谢多谢。”

艾青道：“我现在没有带在身上，今天晚上三更，我送到这里来给你。”

说完了这句话，她扭头就走，走了几步，又回头瞪了楚留香一眼，恨恨道：“真是个呆子。”

楚留香望着她转过假山，终于忍不住笑了，而且仿佛愈想愈好笑。

除了他之外，居然还有别人在笑。笑声如银铃，好像是从假山里面传出来的。

楚留香倒真吃了一惊，他真没有想到这假山是空的，而且里面还躲着人。

一个人已从假山里探出头，还在笑个不停。

楚留香也跟别的男人一样，喜欢将女人分门别类，只不过他分类的方法跟别人多少有些不同。

他将女人分成两种。一种爱哭，一种爱笑。

爱笑的女人通常都会很美，笑得很好看，否则她也许就要选择哭了。

楚留香看过许多很会笑的女人，但他却不能不承认，现在从假山里探出头来的这个女人，比大多数女人笑得好看得多。不但好看，而且笑声好听。她的眼睛不大，笑的时候眯了起来，就好像一双弯弯的新月。楚留香本来喜欢眼睛大的女孩子，但现在却又不得不承认眼睛小的女孩子也有迷人之处。

事实上，他简直从未看过这么迷人的眼睛。他简直看得有点痴了。

这女孩子吃吃笑道："看来她说得一点也不错，原来你真是个呆子。"

楚留香眨眨眼，道："呆子也没什么不好，呆子至少不会偷听别人说话。"

这女孩子瞪眼道："谁偷听你们说话，我早就在这里了，谁叫你们要到这里的。"

楚留香道："你好好的，躲在假山洞里干什么？"

这女孩子道："我高兴。"

天大的道理也抵不上"高兴"两个字。楚留香知道自己又遇上个不讲理的女孩子了。

他常常提醒自己，绝不要去惹任何一个女人，更不要跟女人争辩。

你甚至可以打她，但绝不要跟她争辩。

楚留香摸摸鼻子，笑笑，准备开步走——我惹不起你，总躲得起你吧。

谁知这女孩子却忽然跳了出来，道："喂，刚才那小姑娘好像是在勾引你，你知不知道？"

楚留香道："不知道。"

这女孩子道："她说的那些话，你难道真的一点也听不懂？"

楚留香道："假的。"

这女孩子又笑了，道："原来你并不是呆子。"

楚留香道："我只不过不喜欢女人勾引我——我喜欢勾引女人。"

这女孩子瞟了他一眼，道："那么，你为什么不勾引我？"

楚留香终于也忍不住笑了，道：“你怎么知道我不想勾引你？”

这女孩子又道：“那么，你至少应该先问问我的芳名。”

楚留香道：“请问芳名？”

这女孩子笑了笑道：“我叫张洁洁，弓长张，清洁的洁。”

楚留香道：“张洁洁……”

张洁洁道：“嗳，不敢当，怎么一见面就叫我张姐姐呢！真是乖孩子。”

她话未说完，已笑得弯下了腰。

楚留香简直有点要笑不出来了。

他虽然并不时常吃人的豆腐，但被女人吃豆腐，倒还真是生平第一次。

张洁洁不待楚留香回话，笑着又道：“小弟弟，你叫姐姐干什么呀？”

楚留香叹了口气，道：“原来你还是个小孩子，只有小孩子才喜欢占人便宜。”

张洁洁眼波流动，道：“你看我像小孩子？”

她不像。她身上最迷人的地方并不是眼睛。

楚留香干咳了两声，费了很大的力气，才将目光从她身上最迷人的地方移开。

张洁洁吃吃笑道：“你为什么不说话了呀？”

楚留香道：“我不说话的时候，你最好小心些。”

张洁洁道：“为什么？”

楚留香道：“因为我不动口的时候，就表示要动手了。”

他眼睛又在瞪着她身上最迷人的地方，好像真有点要动手的样子。

张洁洁不由自主伸手挡住，道：“你敢！”

楚留香龇牙咧嘴，道：“我不敢？”他的手已开始动。

张洁洁娇呼了一声，掉头就跑，大叫道：“原来你不是呆子，是色狼。”

楚留香看着她转过假山，刚松了口气，谁知她突又冲了过来，瞪眼道：“小色狼，你听着，你既已勾引了我，若还敢跟那姓艾的小姑娘勾三搭四，小心我打破醋坛子。”

真动手的不是楚留香，而是她。她忽然抬起手，在楚留香头上重重地敲一下，又一溜烟走了。

楚留香一只手摸着头，一只手摸着鼻子，又好气，又好笑。但也不知为了什么，心里倒真有点甜丝丝的。他并不是乡巴佬，但这样的女孩子，倒真还没有见过。

见过这种女孩子的人，只怕还没有几个。

突听有人笑道：“我听见有人在骂色狼，就知道是你，你果然在这里。”

楚留香用不着看就知道是胡铁花来了，所以他根本没有看，却叹了口气，喃喃道：“可惜，可惜啊！我真替你可惜。”

胡铁花怔了怔，道：“可惜什么？”

楚留香道：“可惜你痛失良机！”

胡铁花道：“痛失良机？”

楚留香道：“刚才这里姐姐妹妹一大堆，谁叫你溜走了的。”

胡铁花道：“这么样说来，好像我一走，你就交了桃花运？”

楚留香道：“好像是的。”

胡铁花忽又叹了口气，道：“我别的不佩服你，只佩服你吹牛的本事……当然，你还有……放屁的本事。”他大笑，接着道，“听说你刚才放了个全世界最响的屁。”

楚留香悠然道：“响屁人人会放，只不过各有巧妙不同而已。”

胡铁花道：“什么巧妙？”

楚留香道：“你若知道我那一屁放出了什么来，你每天至少要放十个。”

胡铁花道：“除了臭气，你还能放得出什么？”

楚留香淡淡道：“我知道你不信，但等到明天早上，你就会相信了。”

胡铁花忽然正色道：“不能等。”

楚留香道：“为什么？”

胡铁花道：“因为我们这就要走了，而且是非走不可。”

楚留香道：“谁非走不可？”

胡铁花道：“我们——我们的意思就是你和我。”

楚留香道：“我们为什么要走？”

胡铁花道：“因为再不走立刻就要有麻烦上身。”

楚留香道：“你是说，有人要找我们的麻烦？”

胡铁花道：“没有别人，只有一个人。”

楚留香道：“谁？”

胡铁花叹了口气，道：“金灵芝。”

楚留香笑了，道：“她要找也是找你的麻烦，绝不会找到我头上来。”

胡铁花瞪眼道：“你难道不是我朋友？”

楚留香笑道：“她要找你什么麻烦？难道是想嫁给你？”

胡铁花立刻变得愁眉苦脸，吁了一口气，叹道：“一点也不错。”

楚留香道：“那么你岂非正好娶了她，你本来不是喜欢她的吗？”

胡铁花皱着眉道：“本来的确是，但现在……”

楚留香道：“现在她已喜欢你，所以你就不喜欢她了，是不是？”

胡铁花忽然一拍巴掌，道：“我本来一直想不通为了什么，被你一说，倒真提醒了我。”

楚留香叹道：“这本就是你的老毛病，你这毛病要到什么时候才改得了？”

胡铁花怔了半晌，苦笑道：“就算我还喜欢她，可是你想想，我怎么受得了她那些姑姑婶婶、叔叔伯伯？不说别的，就说磕头吧。”

楚留香道：“磕头？”

胡铁花道：“我若娶了金灵芝，岂非也变成了他们的晚辈，逢年过节，是不是要跟他们磕头，就算每一个人只磕一个头，我也要变成磕头虫了。”

他拼命摇头，道：“别的都能做，磕头虫是万万做不得的。”

楚留香忍不住笑道：“你反正总找得出理由来为自己解释。”

胡铁花又瞪起了眼睛，道：“我只问你，你走是不走？”

楚留香道：“我不走行不行？”

胡铁花道：“不行。”

小酒铺，很小的酒铺。

楚留香既不是个很节省的人，也不欣赏这种小酒铺，他到这小酒铺来，完全是因为胡铁花坚持要来。胡铁花认为这里比较安全，金灵芝就算要追他，要找他，也不会到这种小酒铺来，她想不到他们会在这种地方喝酒。但这种小酒铺也不是完全没有好处，这里至少很静，尤其到了夜深时，非但没有别的客人，连店伙都在打瞌睡。

楚留香不喜欢有别人在旁边听他们说话，更不喜欢别人看到胡铁花的醉态。

胡铁花现在就算还没有喝醉，距离喝醉的时候也不太远了。

他伏在桌上，一只手抓着酒壶，一只手抓着楚留香，喃喃道：“你虽然是我的朋友，但是你并不了解我，一点也不了解，我的痛苦你根本一点也不知道。”

楚留香道：“你痛苦？”

胡铁花道：“非但痛苦，而且痛苦得要命。”

楚留香笑笑，道：“我看不出你有什么痛苦。”

胡铁花道：“金灵芝虽然有点任性，可是谁也不能不承认她是一个很好的女孩子，人又长得漂亮……你不承认吗？”

楚留香道：“我承认。”

胡铁花把酒壶重重地往桌上一摔，道：“我放着那么好的女孩子不要，放着那么好的酒不喝，却要到这种鬼地方来喝这种马尿，我不痛苦谁痛苦？”

楚留香道：“谁叫你来的？”

胡铁花手摸着鼻子，怔了半天，喃喃道：“谁叫我来的？好像是我自己……”

楚留香道：“你自己要找罪受，怪得了谁？可是我……”

他叹了口气，道：“你不知道我这么样一走，损失有多惨重？”

胡铁花忽然笑了，用力拍着他的肩，笑道：“这也只能怪你自己，谁叫你交我这朋友的？”

楚留香道：“我自己。”

胡铁花拍手笑道：“对了，这岂非也是你自己要找罪受？你能怪谁？”

楚留香忍不住笑了，也用力拍着他的肩，笑道：“有道理，你说得为什么总是这么有道理？”

他拍得更用力，胡铁花忽然从凳子上滑了下去，坐在地上发了半天怔，喃喃道：“他妈的，这凳子怎么只有三只脚，难道存心想谋财害命？”

楚留香忍不住笑道：“说不定这是个黑店，而且早已看出你是个故意装穷的大财主。”

胡铁花想了想，点头道：“嗯，有道理，只不过他们这次可看错人了。我身上别的没有，当票倒还有好几张。”他忽然发现自己很幽默，很佩服自己，大笑了几声，才摇摇晃晃地站起来，眼睛发直，瞪着楚留香，皱眉道：“你怎么变成两个人了？”

楚留香道：“因为我会分身术。”

胡铁花又想了想，摇头道：“也许因为你不是人，是个鬼，色鬼。”

他自己又大笑了几声，道：“听说只要我一走，你就会交桃花运，是不是？”

楚留香道：“好像是的。”

胡铁花道：“好，我给你个机会。”

他伸手又想去拍楚留香的肩，幸好楚留香这次已有防备，早就躲开了。他看着自己的手，喃喃道：“我怎么多了只手，难道变成三只手了？难道我也染上了你的毛病？”

这句话实在太幽默了，他更佩服自己，想不笑都不行。

笑着笑着，喉咙里忽然“呃”的一声，他皱起眉，低下头往地上看，像是要找什么东西，看了半天，忽然躺了下去。

楚留香这才急了，大声道：“不行，你不能在这里睡。”

胡铁花咯咯笑道：“谁说不行，这张床虽然硬了些，却大得很。”

他翻了个身，溜到桌子底，打鼾的声音立刻就从鼻子底下传了出来。

打瞌睡的店伙却醒了，还没有开口，楚留香已抛了锭银子过去，店伙看看银子，又坐下去开始打瞌睡了。

楚留香实在懒得扛着个醉鬼在街上走，已准备在这里待一夜，他用不着担心胡铁花会伤风，胡铁花睡在地上早就是家常便饭。

他也没有向店伙解释，那锭银子已足够将他的意思解释得很明白，而且很有效。

远处传来更鼓声。

三更。

楚留香叹了口气，这时候，他根本应该已面对佳人的。

他忽然看到个佳人走了进来。

门上的八块门板已上起了七块，任何人都该看出这地方已打烊了，本不该还有客人进来的。

就算还有半夜闯门的酒鬼，也不该是个十六七岁的小姑娘。

但现在却偏偏有个人进来了，进来的偏偏是个小姑娘。

这酒铺虽小，却也有七八张桌子，全是空着的，这小姑娘就算要来喝酒，也不该坐到楚留香的位子上来。

但她偏偏别的地方不坐，就要坐在楚留香对面，就好像早已跟楚留香约好了的。

她虽然也很年轻，很漂亮，但绝不是艾青，不是张洁洁，不是金灵芝，也绝不是楚留香所认得的任何一个女孩。

楚留香这一辈子从来没有看到过她，现在却不能不看她了。

她瞪着眼，脸色有点发青，好像刚跟人怄过气，忽然伸手提起酒壶。

酒壶当然是空的。

放在胡铁花面前的酒壶怎么会不空？

这小姑娘皱了皱眉，忽然大声道："店家，再送几斤酒来……送十斤酒来。"

店伙早已在偷偷地看，看得眼睛发直，但手里却还捏着楚留香的银子。

所以他就送了十斤酒来。

桌上有个大碗，胡铁花喝酒总是用碗的。

这小姑娘居然也用这大碗倒了碗酒，仰起脖子，“咕嘟咕嘟”，一口将一大碗全都喝了下去。

楚留香一直在静静地看着，没有开口。

他一向很沉得住气。

但这小姑娘开始喝第二碗酒的时候，他却不能不开口了。

对女孩子开口之前，他总是会先笑笑。

他微笑着：“这么样喝酒，很快就会喝醉的。”

这小姑娘瞪眼道：“喝醉就喝醉，谁没有喝醉过？你没有喝醉过？”

楚留香道：“你看到桌底下那个人了吗？”

小姑娘道：“我不是瞎子。”

楚留香道：“你不怕变成他这样子，这样子可不好看。”

小姑娘道：“我不怕，我本来就想喝醉的，愈醉愈好。”

楚留香笑道：“你不怕我欺负你？”

小姑娘道：“我本来就是要来让你欺负的，随便你怎么欺负都行。”

这下子楚留香倒真怔住了，不由自主伸手摸了摸鼻子，讷讷道：“你认得我？”

小姑娘道：“不认得。”

楚留香道：“我好像也没见过你。”

小姑娘道：“你本来就没见过我。”

楚留香柔声道：“那么你好好的一个人，为什么要让人欺负呢？”

小姑娘道：“因为我不是人。”

楚留香忍不住又笑了，道：“不是人是什么？”

小姑娘道："我是五百两银子。"

楚留香到底总算明白了，长长吐出口气，道："是艾青叫你来的？"

小姑娘道："她是我姐姐，我叫艾虹。"

楚留香道："你姐姐呢？"

艾虹不说话，又喝下一大碗酒，忽然向楚留香笑了笑，道："我长得好不好看？"

她笑得好像比姐姐更甜。

楚留香只有点点头，道："很好看。"

艾虹秋波一转道："我今年才十六岁，是不是还不算太老？"

十八的佳人一朵花，她正是花样的年华。

楚留香只有摇摇头，道："不老。"

艾虹挺起胸，道："你当然也看得出我已不是小孩子了。"

楚留香不想看，还是忍不住看了一眼，笑道："我也不是瞎子。"

艾虹咬着嘴唇，忽又喝了碗酒。

这碗酒喝下去，她脸上已起了红晕，红着脸道："我还是处女，你信不信？"

楚留香本已不想喝酒的，但现在却立刻倒了碗酒喝下去。酒几乎从鼻孔里喷了出来。

艾虹瞪着眼，道："你若不信，可以检查。"

楚留香赶紧道："我信，很信。"

艾虹道："像我这么样一个人，值不值得五百两银子？"

楚留香道："值，很值。"

艾虹道："那么你还找我姐姐干什么？她岂非已将五百两银子还来了？"

楚留香道："她并不欠我的。"

艾虹道：“她既然已答应了你，就要给你，她没有五百两银子，所以就要我来抵数，我们姐妹虽穷，却从不欠人的债。”她眼圈似有点红了，也不知是因为伤心，还是因为那第五碗酒。她已将第五碗酒喝了下去。

楚留香叹了口气道：“我求你一样事行不行？”

艾虹道：“当然行，无论什么事都行。”

楚留香道：“你回去吧，回去告诉你姐姐……”

艾虹打断了他的话，道：“你要我回去？”

楚留香点点头。

艾虹脸色发青道：“你不要我？”

楚留香苦笑道：“你不是五百两银子。”

艾虹道：“好。”

她忽然站起来，也不知从哪里拔出柄刀，反手一刀，向自己心口上刺了下去。她是真刺。

楚留香若是别的人，她现在已经死了。幸好楚留香不是别人，她的手一动，楚留香已到了她身旁，她的刀刚刺下，楚留香已抓住她的手。

她整个人忽然软了，软软地倒在楚留香怀里，另一只手已钩住了楚留香的脖子，颤声道：“我哪点不好？你为什么不要我？”

楚留香的心也有点软了，道：“也许只因为你并不是自己愿意来的。”

艾虹道：“谁说我不是自己愿意来的？若非我早就见过你，早已看上了你，我怎么肯来！”她的身子又香又软，她的呼吸温暖而芬芳。

一个男人的怀里抱着这么样一个女人，若还心不动，他一定不是真正的男人。

楚留香是男人，一点也不假。

艾虹在轻轻喘息，道：“带我走吧，我知道这附近有个地方，那地方没有别的人……”

她身子在楚留香怀抱中扭动，腿已弯曲。她弯曲着的腿忽然向前一踢。踢楚留香的腿。

她踢得很轻，有很多女孩子在撒娇时，不但会拧人打人，也会踢人。

被踢的男人非但不会觉得疼，还会觉得很开心。但这次楚留香却绝对不会觉得开心。

她的脚踢出来的时候，鞋底突然弹出段刀尖。

她穿的是双粉红色的鞋子，弹出的刀尖却是惨青色的，就像响尾蛇的牙齿那种颜色。

刀尖很小，刺在人身上，最多也只不过像是被针刺了一下，也不会很痛。

响尾蛇若咬了你一口，你也不会觉得很痛——你甚至永远不会有痛的感觉，永远不会有任何感觉。因为你很快就要死了。

楚留香没有死。

艾虹一脚踢出的时候，猛然有只手从桌子底下伸出来，抓住了她的脚。

她又香又软的身子立刻变硬了。

楚留香好像一点都没有感觉到，他腿上毕竟没有长眼睛。

但他却忽然笑了，微笑着看着艾虹的脸，道：“我们何必到别的地方去，这里就有张床。”

艾虹脸色已发青，却还是勉强笑道：“床在哪里？我怎么看不见？”

楚留香道：“你现在就站在床上。”

他又笑了笑，道："所以你下次要踢人的时候，最好先看清楚，是不是站在别人床上。"

艾虹也叹了口气，道："早知道这里有张床，我说不定已经躺下去了。"

突然有一个人在床底下笑道："你现在躺下来还来得及。"

艾虹眨眨眼，道："你这朋友不规矩，非但调戏我，还拼命摸我的脚。"

楚留香笑道："没关系，我早就将你的脚让给他了。我只管你的手，脚是他的。"

艾虹吃吃笑道："你这人倒真会捡便宜，自己先选了样香的，把臭的留给别人……"

她身子突然向后一跃，倒纵而出，凌空一个翻身，已掠出门，楚留香最后看到她的一只赤脚。

只听她笑声从门外传来，道："你既然喜欢我的鞋子，就留给你作纪念吧。"

胡铁花慢慢地从桌子底下钻出来，手里还抓住只粉红色的鞋子。

楚留香看着他，笑道："臭不臭？"

胡铁花把鞋子往他鼻子上伸过去，道："你为什么不自己闻闻？"

楚留香笑道："这是她送给你的，应该留给你自己享受，你何必客气。"

胡铁花恨恨道："我刚才为什么不让她踢死你，像你这种人，踢死一个少一个。"

他皱着眉，又道："有时我真不懂，你为什么总是死不了，是不是因为你的运气特别好？"

楚留香笑道："也许只因为我很了解你，知道你喜欢摸女人的脚。”

胡铁花瞪着眼道：“你真的早就知道我已醒了？”

楚留香道：“也许我运气真的比别人好。”

胡铁花瞪着他，瞪了很久很久，才叹了口气，道：“看来你果然在交桃花运，而且是种很特别的桃花运。”

楚留香道：“是哪种？”

胡铁花道：“要命的那种，一个人若交上这种桃花运，不出半个月，就得要送命。”

楚留香苦笑道：“真有要命的桃花运？”

胡铁花正色道：“当然有，而且这种桃花运只要一来，你就连躲都躲不了。”

楚留香有个原则。他若知道一件事已躲不了的时候，他就不躲。

等你要找他的时候，他往往已先来找你了。

花园里很静。

无论多热闹的宴会，都有散的时候。

拜寿的贺客都已散了，他们在归途上，一定还在羡慕金太夫人的福气，也许甚至带着点妒忌。

可是金老夫人自己呢？

已经八十岁了，生命已到了尾声，说不尽的荣华富贵，转眼都要成空，就算还能再活二十年，但生命中最美好的一段时光早已过去，除了对往昔的回忆外，她还能真正享受到什么？

楚留香面对着空寂的庭园，意兴忽然变得很萧索。

既然到头来迟早总要幻梦成空，又何必去辛苦挣扎奋斗？但楚留香并不是个悲观消极的人，他懂得更多。

生命的意义，本就在奋斗。

他并不一定要等着享受奋斗的果实，奋斗的本身就是快乐，就是种享受，那已足够补偿一切。

所以你耕耘时也用不着期待收获，只要你看到那些被你犁平了的土地，被你铲除了的乱石和莠草，你就会觉得汗并不是白流的。

你就会觉得有种说不出的满足。

只要你能证明你自己并不是个没有用的人，你无论流多少汗，都已值得。

这就是生命的意义，只有懂得这意义的人，才能真正享受生命，才能活得快乐。

楚留香一直活得很快乐。

他仰起头，长长吐出了口气。

一个人无论活多久，只要他的确有些事值得回忆，不算白活。

他已该满足。

假山比别的地方更暗。

楚留香远远就看到黑暗中有个人静静地站在那里。

他走过去，这人背对着他，身上的披风长可及地，柔软的头发从肩上披散下来，黑得像缎子。

她仿佛根本没有感觉到有人走过来。

楚留香轻轻咳嗽，道："艾姑娘，艾青？"

她没有回头，只是冷冷道："你倒很守信。"

楚留香道："我来迟了，可是我知道你一定还会等我的。"

她还是没有回头，冷笑道："你对自己倒是很有信心。"

楚留香淡淡地一笑，道："一个人若连自己都不信任，还能信任谁呢？"

她忽然笑了，慢慢地回头。

楚留香怔住了。

她笑容如春花绽放，她不是艾青。

楚留香失声道："张洁洁。"

张洁洁眨着眼，满天星斗都似已在她眼睛里。

她嫣然笑道："你为什么一定要叫我姐姐？就算偶尔叫我一声妹妹，我也不会生气的。"

楚留香忍不住摸了摸鼻子，道："你在等我？"

张洁洁道："难道只有艾青一个人能等你？我就不能等你？"

她又嫣然而笑，接着道："有耐心的人才能等得到收获，这句话你听过没有？"

楚留香道："听过。"

张洁洁道："我比她有耐心。"

她凝视着楚留香，眼波蒙眬，蒙眬得仿佛映在海水里的星光。

楚留香道："你等了很久？"

张洁洁眼波流动，道："你是不是想问我，刚才有没有看到她？"

楚留香笑了，道："我并没有问，但你若要说，我就听。"

张洁洁道："我刚才的确看到了她，而且知道她现在在哪里，只不过……"她眨眨眼，道，"我不想告诉你。"

楚留香道："为什么？"

这句话他本来不必问的，但一个男人在女人面前有时不得不装装傻。

张洁洁的回答却令他觉得意外，甚至很吃惊。

她说："我不想告诉你，因为我不愿看到你死。"

楚留香道："你认为她要杀我？"

张洁洁道："你有没有发觉，这两天好像忽然交了很多女孩？"

楚留香道："是吗？"

张洁洁道："你知不知道，交上桃花运的人，是要倒霉的。"

楚留香笑笑，道："我相信有很多男人都希望倒这种霉。"

张洁洁道："你呢？"

楚留香道："我是男人。"

张洁洁叹了口气，道："你一定要找艾青？"

楚留香道："我跟她有约会。"

张洁洁盯着他，忽然向他走过来，拉开披风，用披风拥抱住他。

楚留香没有动，却已可感觉到她温暖光滑的肌肤在战栗。

披风下好像已没有别的。

除了她自己之外，已没有别的。

她轻轻地在楚留香胸膛上摩擦，道："你要我，还是要艾青？"

楚留香叹了口气，道："聪明的女人不应该问这种话的。"

张洁洁道："我不聪明，痴情的女人都不聪明。"

楚留香道："我却很守信。"

张洁洁道："你不怕她杀你？"

楚留香沉默着，沉默就是答复。

张洁洁忽然用力推开了他，立刻又用披风将自己裹住，裹得很紧。

甚至连楚留香也不能不觉得有点失望。

张洁洁瞪着他，瞪了很久，突然大声道："好，你去死吧。"

楚留香淡淡笑道："到哪里去死？"

张洁洁咬着嘴唇，道："随便你到哪里去死！我不知道，知道也不告诉你。"

她忽然转身跑开了，只剩下楚留香一个人在黑暗中自己苦笑。

十七八岁的女孩子，谁能了解她们的心？

他听到风声，抬起头，忽然又看到张洁洁站在那里，脸上又带着春花般的笑，就好像刚才什么事都没有发生过似的。

她嫣然笑道："我喜欢守信的男人，只希望你下次跟我约会时，也一样守信。"

楚留香也笑了，道："我只希望你永远不要变得太聪明。"

张洁洁脉脉地凝视他，忽然抬手，向远方指了指，道："她就在那里。"

她指着的地方，有一点灯光。

她对艾青的行踪好像知道得很清楚。

楚留香虽奇怪，却没有问，他一向很少探听别人的秘密。

尤其是女人的秘密。

张洁洁又道："你喜不喜欢戴耳环的女人？"

楚留香笑道："那就要看她是谁了，有的女人戴不戴耳环都一样可爱。"

张洁洁道："她戴耳环。"

楚留香道："哦？"

张洁洁缓缓道："有些女人一戴上耳环就会变得很可怕，你最好特别小心点。"

园中很暗，剩下的灯光已不多。

这点灯光在园外。

园外的山坡上，有三五间小屋，灯光透出窗外。

艾青就住在小屋里？

"有些女人一戴上耳环，就会变得很可怕。"

这句话是不是另有深意？

楚留香走上山坡，掠过花篱。

他一向是个很有礼貌的人，进屋子之前，一定会先敲敲门。

这次他的礼貌忽然不见了。

他直接就推门走了进去，他立刻就看到了一双翠绿的耳环。

艾青果然在小屋里。

桌上有灯，她就坐在灯畔，耳上的翠环在灯下莹莹发光。

她看到楚留香走进来时，脸上并没有露出吃惊的表情，只是冷冷道：“你倒很守信。”

楚留香道：“我来迟了，可是我知道你一定会等我的。”

艾青冷笑道：“你对自己倒很有信心。”

楚留香笑了，道：“一个人若连自己都不信任，还能信任谁呢？”

他笑，因为这的确是件很可笑的事。

世上有很多种不同的女人，但这些不同的女人，对男人有些反应却几乎是完全一样的，所以有时她们往往会说出同样的话。

所以男人也只有用同样的话来回答。

艾青瞪着他，瞪了很久，忽然笑了道：“我也知道你一定会来。”

楚留香道：“哦？”

艾青道：“因为我知道你这种男人是绝不肯放弃任何机会的。”

楚留香道：“你很了解我？”

艾青眨着眼，道：“我也知道你要的并不是五百两银子，你故意那么说，只不过因为对我没把握，所以故意要试试我。”

她盯着楚留香，慢慢地接着道：“现在你已经用不着再试了，是吗？”她盯着楚留香却始终不敢正眼看他。

她坐在那里，的确坐得很规矩，神情也很正经，就像是一个规规矩矩坐在老师面前的小学生。

她打扮得也很整齐，头发梳得一丝不乱，脸上脂粉不浓也不淡，甚至连耳环都戴得端端正正。

可是她身上唯一穿戴着的，就是这对耳环。

除了这对耳环外，再也没有别的。

一个女人若是像初生婴儿般赤裸着站在你的面前，她的意思当然已很明显。

艾青道：“你已用不着尝试，因为你也已该明白我的意思。”

不明白这意思的，除非是白痴。

楚留香好像真的已变成白痴，摸了摸鼻子，道：“你是不是很热？”

艾青居然沉住了气，道：“我很冷。”

楚留香道：“是呀，这种天气无论谁都不会觉得热的。”

艾青道：“连猪都不会觉得热。”

楚留香道：“对了，你一定是想洗澡。”

艾青道：“我已洗过。”

楚留香道：“那么……你是不是把衣服都送去洗了，没有衣服换？”

艾青瞪着他，真恨不得一拳将他满嘴的牙齿全都打出来。

楚留香叹了口气，道：“你若真的没有衣服换，我可以去找条裤子借给你，至少你妹妹的裤子你总能穿的。”

艾青好像很惊讶，道：“我妹妹？”

楚留香道：“你想不到我已见过她？”

艾青道：“你几时见到她的？”

楚留香道：“刚才。”

艾青道：“那么你刚才一定见到了鬼，大头鬼。”

楚留香笑道：“她的头并不大，她就算是鬼，也不是大头鬼，是酒鬼。”

艾青忽然叫了起来，大声道：“无论你见到的是什么鬼，反正绝不是我妹妹。”

楚留香道：“为什么？”

艾青道：“我没有妹妹。”

楚留香皱眉道：“一个妹妹都没有？”

艾青道：“半个都没有。”

楚留香盯着她的眼睛，盯了很久，喃喃道：“看来你并不像是说谎。”

艾青道：“这种事我为什么要说谎？”

楚留香道：“也许因为你喜欢说谎，有些人说谎时本就看不出来的。”

艾青突然跳了起来，一个耳光往楚留香脸上打了过来。

她没有打着。

楚留香已抓住了她的手。

他的眼睛开始移动，从她的脸，看到她的脚，又从她的脚，看到她的脸。

这正是标准色鬼的看法。

没有女人能受得了男人这样看的，就算穿着十七八件衣服的女人也受不了。

艾青的身子开始往后缩，开始发抖。

她没有被抓住的一只手也已没法子打人，因为这只手必须掩住身上一些不太好看的地方。

楚留香的眼睛偏偏就要往这些地方看。

艾青咬着牙，道：“你……你想怎么样？”

这句话本来也用不着问的，但一个女人在男人面前，有时也不得不装装傻。

楚留香微笑道：“我只想你明白两件事。”

艾青道：“你……你说。”

楚留香道：“第一，我不是猪，是人，是男人。”

艾青眨着眼，道：“第二呢？”

她全身都是害怕的样子，满脸都是害怕的表情，可是她的眼睛却不怕。

她的眼睛里简直连一点害怕的意思都没有。

楚留香看着她的眼睛，又笑了，道：“第二，我不是君子，你恰巧也不是淑女。”

艾青脸上露出愤怒之色，但眼睛却已开始在笑，咬着嘴唇道：“我还知道一件事。”

楚留香道：“哦？”

艾青道：“我知道你是个胆小鬼。”

楚留香笑道：“你很快就会发现自己错了，而且错得很厉害。”

艾青眼波流动，道：“难道你还敢对我怎么样？”

楚留香道：“我不敢。”

他嘴里说“不敢”的时候，他的手已将她整个人抱了起来。

她整个人忽然全都软了，闭上眼睛，轻轻叹了口气，道：“我的确错了，你的确敢……”

这句话还没有说完，她忽然觉得心往下沉，就好像忽然一脚踏空，就好像在噩梦中从很高的地方掉了下去一样。

她立刻就发现这不是在做梦。

因为她的人已从半空中重重地跌在地上，几乎跌得晕了过去。

等她眼睛里不冒金星的时候，就看到楚留香正在看着她，微笑说道：“你没有错，我的确不敢。”

艾青忽然跳起来，抓起凳子往楚留香砸过去，抓起茶杯往楚留香掷过去，她手边的每样东西都被她抓了起来，砸了过去。

她砸过去的每样东西都被楚留香接住。

直到没有东西可抓时，她就将自己的人往楚留香砸过去。

楚留香也接住了。

他既不是猪，也不是神。

他也跟别的男人一样，有时也禁不住诱惑，也会心动的。

这一次他真的抱住了她。

他忽然发觉，无论怎么样，她都可以算是个很可爱的女孩子。

艾青轻轻地喘息，又叹了口气，道："我现在才明白为什么有很多人要杀你。"

楚留香道："很多人？哪些人？"

艾青道："别人我不知道，我只知道一个人。"

楚留香道："谁？"

艾青道："我。"

楚留香道："你？你想杀我？"

艾青道："否则我为什么要这样子勾引你，难道我是犯了花痴？"

楚留香笑道："看来倒真有点像。"

艾青"嘤咛"一声，挣扎着要推开他，打他。

她推不开，也打不着。

楚留香很懂得怎么样才能要女人推不开他的法子，各种法子他都懂。

艾青的呼吸更急促，忽然道："小心我的耳环。"

楚留香道："你的耳环？"

艾青道："你不能碰它。"

楚留香道："为什么？"

艾青道："耳环里有毒针，你若想把它解下来，毒针就会弹入你的手。"她咬着嘴唇，又道，"男人跟女人好的时候，都喜欢把女人身上每样东西都拉下来的，是不是？"

是的，在这种时候，男人都希望他的女人身上连一样东西都没有，因为在这种时候，无论什么东西都是多余的。不但多余而且讨厌。

楚留香看着她的耳环，道："这里面的针很毒？"

艾青道："每一根针上的毒，都可以毒死一头大象。"

楚留香叹了口气，苦笑道："难怪有人告诉我，有的女人一戴上耳环就变得很可怕。"

他不让艾青发问，先问道："你既然要来杀我，为什么又将这些事告诉我呢？"

艾青又闭上眼，幽幽地叹息，道："因为……因为什么我自己也不知道，也许因为我真的发了花痴。"她的脸红了，红得那么可爱。

她的脸又红又烫，但鼻尖却是冰冷的。

一个男人的嘴唇触及女人冰冷的鼻尖时，他若还不心动，那么他简直连白痴都不是。

他一定是块木头，死木头。

楚留香不是死木头。

冰冷的鼻尖上有一粒粒小的汗珠，就像是花瓣上的露珠。

露珠是甜的，甜，香。

灯光昏黄，窗上已现出曙色，窗台上有一对翠绿的耳环。

艾青静静地躺着，凝视着楚留香。

他的鼻子直而挺，就像是用一整块玉雕成的，他的眼睛清澈，宛如无邪的婴儿，他的嘴角向上显得自信而乐观。

这实在是个可爱的男人，值得任何女人喜欢。

现在他脸上带着种深思的表情，正专心地看着这对耳环。

艾青解下这对耳环的时候，她自己的手也在不停地发抖。

楚留香忽然叹了口气，道："我知道很多杀人的法子，可是用耳环来杀人，倒的确很别致。"

他忽又笑了笑，道："我若真的死了，倒也有趣得很。"

艾青道："有趣？"

楚留香道："那我就一定是天下第一个被耳环杀死的人。"

艾青眨眨眼，道："若没有人告诉你，你现在也许已经是个死人。"

楚留香道："你认为这法子一定能杀得死我？"

艾青道："你想呢？"

楚留香笑笑，道："以前有很多人想杀死我，他们用的都是自己认为一定能杀死我的法子。"

艾青道："结果呢？"

楚留香道："至少我现在没有死。"

艾青凝视着他，脸忽然红了，咬着嘴唇道："你的确没有死，我却差点死了。"

这是句能令任何男人听了都会自觉骄傲的话。

楚留香却似没有听见，忽又问道："这耳环是谁替你戴上的？"

艾青道："你为什么要问？"

楚留香道："因为替你戴这耳环的人，就是真正想杀我的人。"

艾青道："你想去找他？"

楚留香道："不想。"

艾青道："真的不想？"

楚留香道："因为我不必去找他，他一定还会来找我。"

艾青沉默着，终于点了点头，说道："他也知道我未必能够杀得了你，所以除了我，一定还有许多的人。"

楚留香道："是些什么人？"

艾青道："女人。"

楚留香笑道："他很信任女人？他认为女人比男人更懂得杀人？"

艾青道："也许那只不过是因为他知道你的弱点。"

楚留香道："我的弱点？"

艾青嘴角带着笑，道："江湖中人人都知道楚香帅的弱点，楚香帅唯一的弱点就是女人，尤其是好看的女人。"

楚留香长长吐出口气，道："原来你早已知道我是谁了。"

艾青道："知道你的人不止我一个。"

楚留香叹道："但我却还不知道他是谁，为什么要杀我。"

艾青瞟着他，道："你是不是很想知道？"

楚留香道："想死了。"

艾青笑笑，又叹了口气，道："我本来不应该告诉你，可是……"她这句话没有说完，楚留香忽然抱着她滚了出去。

一只手忽然由窗外伸进来，将窗台上的耳环向他们弹了过来。

楚留香好像一直在凝视着艾青，并没有往别的地方看。

但他却看到了这只手。

一只纤秀而美丽的手，指甲上还好像染着鲜艳的凤仙花汁。

鲜红的指甲，翠绿的耳环。

初升的阳光，淡淡地照在窗台上。

在指尖弹出那一瞬间，这一切本是幅美极了的图画。

这也是幅杀人的图画。

楚留香直滚到屋角，才敢回头。那只手还在窗台上，正在向他招手。

艾青忽然发抖，颤声道：“是她，就是她！”

楚留香身形已掠起，顺手捞起桌上的灯，向窗外掷出。他的人却已掠出门。

门外没有人，那扇窗外也没有人。

风吹着新绿的柳叶，淡淡的晨雾在柳叶间飘浮，一盏灯摆在窗下，正是楚留香刚才掷出的灯。

人呢？楚留香长长呼一口气，知道自己这次又遇着了个极可怕的对手。

就在这时，前面的屋角后忽然又有只手伸出来，向他轻招。还是那只手，美丽而纤秀的手指，指尖鲜红。

楚留香用最快的速度掠过去。他怀疑过很多的事，甚至怀疑过神，但却从未怀疑过自己的轻功。

从未有人怀疑过他的轻功。

楚留香轻功无双，已是件毫无疑问的事。但等他掠到屋后，人又不见了。

屋后没有树，只有风，风吹过山坡。

楚留香忽然觉得风很冷。

“这只手要杀的人不是我，是艾青。”

楚留香凌空翻身，箭一般蹿回，门还是开着的，他掠进去。

灯在桌上。赫然正是他刚才掷出的那盏灯。

只有灯，没有人。

斜阳照着屋角，艾青已不见了。

风从门外吹入，更冷。

楚留香的掌心渐渐潮湿，他眼角忽又瞥见了同样一只手。

手在窗台上。

还是那只手，指尖纤纤，指甲鲜红。

楚留香箭一般蹿过去，突然出手！

这次他居然抓住了这只手。冰冷的手，一股寒意自指尖直透入楚留香的心。

他轻轻一拉，就将这只手拉了起来。

只有手，没有人。

一只断手。

被人齐腕砍断的，还沁着血。

等血滴干，这只手就渐渐苍白，渐渐干瘪，就像是一朵鲜花突然枯萎！

第二章

勾魂玉手

你若看到一朵鲜花在你手里枯萎，心里总难免会觉得很惋惜，甚至会觉得有种说不出的愁闷。

就算你并不是个多愁善感的人，你也会不禁为之叹息。

美丽的生命为什么总是那么短促？但你看到的若是一只断手，看着这本来很美丽的手突然间干瘪，那么你心里就不仅会觉得惋惜愁闷。

你还会想到许多别的事。

这只手是谁的？是谁砍断了这只手？

楚留香忽然发觉这只手并不是刚才向他摇动的那只手。

这只手的手背上有一块乌青，是被人扭伤的痕迹。

他确信刚才那只手上绝没有这痕迹。

这只手是不是艾青的？

楚留香的心往下沉，他不能确定。

他一直没有仔细看过艾青的手，艾青身上有很多更值得他看的地方。

这也许就是刚才还在他身上轻轻爱抚的手。

这手仿佛突然扼住了楚留香的咽喉。

他转身冲出去，门外阳光照地。

旭日已东升。

阳光是件很奇妙的东西，它有时能令人发热，有时却能令人冷静。

楚留香一向喜欢阳光，他在初升的阳光下站了很久，尽力使脑子里什么也不想，直等到头脑完全冷静下来，才将这件事重新想了一遍。

他想得很仔细，每一个细节都没有错过。

这件事本是由艾青开始的，但奇怪的是，他想得最多的，不是艾青，而是张洁洁。

他想着张洁洁的时候，就看到了张洁洁。

她的人像是随时随地都会在他面前出现。

张洁洁正从山坡上走下来。

她嘴里轻轻哼着支轻巧而愉快的小调，手里拈着朵小小的黄花，黄花在晨风中摇动，她身上穿着的鹅黄轻衫也在风中飘动。

其他那些像她这种年纪的女孩子，都喜欢将衣衫做得很合身，甚至比合身更紧些，尽量使自己看来苗条。她却不同。

她衣服穿得宽宽的、松松的，反而使得她看来更婀娜多姿。

她衣服的颜色也许没有艾青配得那么好，却更潇洒脱俗，既不刻意求工，也不矫揉造作。

她这人就像是她哼着的那支小调，轻松自然，令人愉快，尤其是在这晴朗干燥的三月清晨，在这新鲜温暖的初升阳光下，无论谁看到她，心里都会觉得很舒服。

楚留香看着她。

她也在看楚留香，脸上带着轻盈的浅笑，脚步轻盈得宛如春风。

她走过来，走到楚留香面前，忽然笑道：“恭喜恭喜。”

楚留香道：“恭喜？有什么值得恭喜的？”

张洁洁道：“你看到新郎官的时候，难道从来不说恭喜？”

楚留香没有说话。

因为张洁洁不让他开口，又道："你看来好像累得要命的样子，是不是刚做过苦工？"

她吃吃地笑着，又道："我这话问得真傻，新郎官当然一定会很累的，任何一个新郎官在洞房花烛夜里，都一定有很多事要做。"

楚留香笑笑道："那并不是做苦工。"

张洁洁道："当然不是。"

她咬着嘴唇，笑道："苦的当然不是新郎官，是新娘子。"

楚留香只好又笑了笑。

遇着这么大胆女孩子，他还能说什么？

张洁洁眨眨眼，又问道："新娘子呢？难道起不了床了？"

楚留香道："我正想问你。"

张洁洁道："问我？问什么？"

楚留香道："她在哪里？"

张洁洁目中露出吃惊诧异之色，道："她难道已走了？"

楚留香点点头。

张洁洁道："你不知道她到什么地方去了？"

楚留香摇摇头。

张洁洁道："你若不知道，我怎么知道呢！"

楚留香道："因为你对她的事好像知道得很多。"

这次张洁洁的嘴忽然闭上了。

楚留香盯着她，缓缓道："你知道她要杀我，知道她戴着一对杀人的耳环。"

张洁洁终于点点头。

楚留香道："除此之外，你还知道些什么？"

张洁洁道："你认为我还知道些什么？"

楚留香道："譬如说，是谁叫她来杀我的？为什么要杀我？"

张洁洁眼珠子转动道："我怎么会知道这些事？"

楚留香道："这句话也正是我想问你的，你是否……"

张洁洁打断了他的话，道："难道你认为我也是跟她一伙的人？"

楚留香既不承认，也不否认，这种态度通常就等于是默认。

张洁洁道："我若真的是，为什么要将她的秘密告诉你？"

楚留香道："你若不是，怎么会知道她的秘密？"

张洁洁沉默了很久，忽然从他身旁走过去，走进了那间屋子。

屋子里很乱。

艾青拿来砸楚留香的东西，还散在地上，一直没有收拾。

他们没有工夫收拾。

张洁洁又笑了，道："这地方看来倒真像是个战场，为什么洞房总是……"

她声音突然停顿，笑容突然凝结。

她也看到了那只手。

楚留香一直在盯着她，注意着她脸上的表情，立刻问道："你知道这是谁的手？"

张洁洁仿佛连呼吸都已停顿，过了很久，才吐出口气，道："这不是人的手。"

楚留香道："这难道是鬼手？"

张洁洁叹了口气，道："鬼有什么可怕的？你几时听说过鬼真的杀死过人？可是这只手……"

她呼吸仿佛又变得很困难，又过了很久，才说出五个字："这是勾魂手。"

楚留香皱了皱眉，道："勾魂手？"

张洁洁道："无论谁只要看到一只勾魂手，迟早总要被它将魂勾走。”

她接着又道：“听说这勾魂手还分好几种，最差劲的一种要勾人的魂，也只不过半个月。”

楚留香道：“这是哪种？”

张洁洁叹了口气，道：“这是最好的一种。”

楚留香道：“依你看，是不是愈好看的手，勾起魂来愈快？”

张洁洁道：“一点也不错。”

楚留香笑了。

张洁洁瞪起眼，道：“你认为我是在吓唬你？你认为很好笑？等到你的魂魄被勾走时，你就笑不出来了。”

她冷冷接着道：“非但笑不出，简直连哭都哭不出了。”

楚留香笑道：“我只想知道它是用什么法子将魂勾走的，那种法子一定很有趣。”

张洁洁道：“我不知道，没有人知道，知道的人都已进了棺材。”

楚留香道：“但你却知道。”

张洁洁道：“我只知道这是勾魂手。”

楚留香道：“你以前见过？”

张洁洁道：“我只听人说过。”

楚留香道：“谁说的？”

张洁洁道：“一个……一个朋友。”

楚留香道：“你那朋友知道很多事？”

张洁洁道：“我告诉你的事，都是听他说的。”

楚留香道：“他现在哪里？”

张洁洁道：“你知不知道现在是什么时候？”

楚留香道：“是早上，很早。”

张洁洁道：“在这么早的早上，你的朋友通常都在哪里？”

楚留香笑了，他忽然想起了胡铁花，笑道：“他们有时躺在别人的怀里，有时躺在小酒铺里的桌子底下。”

张洁洁也笑了，但立刻又板起脸，道：“我的朋友既不是酒鬼，也不是疯子，他们都很正常，正常的人这种时候当然还在家里。”

楚留香道：“好，那么我们就走吧！”

张洁洁道：“走？走到哪里去？”

楚留香道：“当然是他的家。”

张洁洁瞪着眼，道：“我为什么一定要带你去！”

楚留香笑笑，道：“因为你若老不肯带我去，我就会很难受。你既然是我的好朋友，当然不会要我难受的。”

张洁洁咬着嘴唇，恨恨道：“我偏不带你去，偏要让你难受，最好能气死你。”

她去了。

当一个女孩子说要气死你的时候，她的意思往往就是表示她很喜欢你。

这道理没有人能比楚留香更明白的了。

蓝的天，白的云，太阳刚刚升起。阳光照在红的花、绿的叶子上，叶子上还带着晶莹透明的新鲜露珠。

风也是新鲜的，新鲜而芬芳，就仿佛多情少女的呼吸。

在这么样一个早上，有一个年轻美丽的女孩子陪着你，走在蓝天白云下，红花绿叶间，这当然是件非常令人愉快的事。

但楚留香今天却并不觉得十分愉快，他好像总是有个阴影。

一只手的阴影。

这只手好像随时随地都会从黑暗中伸过来，扼住他的喉咙，把他扼死。

张洁洁看来倒比他愉快多了。

她手上刚折了一枝带露的野花，嘴里还在轻轻地哼着山歌。

她年轻而又美丽，像她这样的女孩子，本就不该有烦恼的。

也许她根本没有学会如何去烦恼，如何去忧郁。

一辆骡车从山后转出来，车上载着半车莴苣，碧绿如翡翠。

赶车的老头子抽着旱烟，花白的头发在阳光下灿烂如银。

张洁洁跳跃着奔过去，笑着招呼道："老伯是不是要进城去？"

老头子本来眯着眼，看见她，眼睛也亮了，大声道："是进城去，去卖菜。"

张洁洁道："我们搭你老人家的车进城好不好？"

她不等人家说好，就已跳上了车。

像这么样一个女孩子既已跳上了车，从八岁到八十岁的男人都绝不会把她赶下来的。

老头子哈哈一笑，道："车反正还空着，上来吧，你们小两口一起上来吧。"

楚留香摸了摸鼻子，也只好跳上了车。

张洁洁看着他吃吃地笑，悄悄道："人家说我们是两口子，你怎么不否认呢？"

楚留香也笑了笑，道："你既然不否认，我否认什么？"

张洁洁眨眨眼，道："我们俩看来是不是真像小两口子？"

楚留香上上下下看了她几眼，微笑道："我若是结亲结得早，女儿已经跟你差不多大了。"

张洁洁狠狠瞪了他一眼，狠狠道："你就算想做我儿子，老娘还嫌你年轻了些。"

这句话还没说完，她自己又忍不住吃吃地笑了起来，她觉得"老娘"这名词实在很新鲜，很有趣。

她好像很佩服自己，怎么能说得出这种名词来的。

楚留香看着她，忍不住也开心了些。

有些人仿佛天生就能令人愉快的，张洁洁就是这种人。

她无论对你怎么样，你都没法子对她生气。

赶车的老头子正在扭着头看他们，笑道："看你们笑得这么亲热，一定是新婚的。"

张洁洁眨着眼道："你老人家怎么知道？"

老头子叹了口气，道："若是老夫老妻，就笑不出了，比如说像我这样，我一看见那黄脸婆，简直连哭都哭不出。"

张洁洁也笑了，笑着笑着，忽然重重地在楚留香鼻子上拧了一下。

楚留香只有干瞪眼，只有自认倒霉。

那老头子却在替他抱不平了，道："好好的你拧他干什么？"

男人总是帮着男人说话的。

张洁洁抿嘴笑道："我以后迟早也要变成黄脸婆的，不趁着现在欺负欺负他，等到那时，就只有让他来欺负我了。"

老头子哈哈大笑，点头道："有理，说得有理，想当年我那老太婆生得还标致的时候，不也是整天拿我当受气包吗？"

他将旱烟袋重重地在车辕上一敲，瞧着楚留香笑道："看来一个男人若想娶个标致的老婆，就得准备先受几年气。"

张洁洁道："现在呢？现在你是不是常常拿她当受气包？"

老头子忽然叹了口气，苦笑道："现在的受气包还是我。"

张洁洁扑哧一笑，道："无论做什么事，只要做习惯了，也没有什么了。"

老头子眯着眼笑道："是呀，我现在就已渐渐觉得做受气包也蛮有意思的，我那老太婆若是三天不给我气受，我反而难过。"

楚留香也忍不住笑了。

老头子忽又叹了口气，道："现在我只有一样事还是不太明白。"

楚留香道："哪样事？"

他也开始搭腔了，因为他忽然也觉得这老头子很有意思。

老头子道："别人都说怕老婆的人会发财，但我到现在还是穷脱了锅底，这又是为了什么？"

楚留香笑道："也许怕得还不够厉害。"

老头子道："要怎么样怕才能发财呢？我倒真想学学。"

楚留香道："那么你就要从'三从四德'开始学起了。"

老头子道："男人也讲究三从四德？"

楚留香道："现在已经渐渐开始讲究了，将来一定讲究得更厉害。"

老头子道："你快说给我听。"

楚留香道："老婆的命令要服从，老婆的道理要盲从，老婆无论到哪儿去，你都要跟从。"

老头子道："原来这叫三从，四德呢？"

楚留香道："老婆花钱你要舍得，老婆的意思你要晓得，老婆的气你要忍得，老婆揍你的时候你就要躲得，躲得愈远愈好。"

老头子一拍大腿，笑道："好，小伙子，有出息，我看你将来一定是个百万富翁。"

他大笑着道："我现在总算知道那些百万富翁是怎么来的了。"

楚留香忽又笑道："但男人也不一定非得怕老婆才能发财的。"

老头子道："难道还有别的法子？"

楚留香道："有一种法子。"

老头子道："哪种？"

楚留香道："不要老婆。"

这里本就在城外近郊，他们谈谈笑笑好像很快就进了城，一个人只要还能笑，日子总较易打发的。

老头子道：“你们小两口是要到城里什么地方去呀？”

张洁洁道：“你老人家呢？”

老头子道：“我已经快到了，就在前面的菜市……”

他忽然闭上了嘴，变得面色如土。

楚留香顺着他目光望过去，就看到一个又高又胖的老太婆正从菜市里冲出来，手里提着杆秤。

老头子看到了她，就像是小鸡看到老鹰似的，还没开口，老太婆已一把将他从车上揪下来，手里的秤也没头没脑地往他身上打下来，痛骂着道：“你这老不死，你这杀千刀，老娘正在奇怪，你为什么死到现在还不来，原来你在路上搭上了野女人。”

老头子一面躲，一面哀求，道：“你怎么能胡说，那是人家的老婆。”

老太婆变得更凶，打得更重，道：“放你娘的春秋屁，谁是谁的老婆，看那小狐狸精的样子，从头到脚有哪点像是正经女人！”

张洁洁这才明白她骂的是谁了，也不禁被她骂得怔住。

但眼看着那老头子已快被打得满地乱爬，她又有点不忍，悄悄地推了楚留香一把，道：“人家为了我们被揍得这么惨，你也不去劝劝？”

楚留香叹了口气，道：“女人若要打自己的老公，连皇帝老子都劝不住的。”

张洁洁着急道：“你至少也该去替他解释呀，你们男人难道就一点也不同情男人吗？”

楚留香摸了摸鼻子，只有硬着头皮走过去，刚叫了一声“老太太”，还来不及说别的。

那老太婆已往他面前冲了过来，瞪着眼道：“谁是老太太，你妈才是个老太太！”

老头子又急又气，在旁边直跺脚道：“你看这女人多不讲理，明明是你的老婆，她偏不信。”

老太婆眼睛瞪得更大，道：“那小狐狸精真是你老婆？”

楚留香只有苦笑着点点头。

他生平最怕的，就是遇见个不讲理的女人，若遇有比这件事更糟的，那就是遇见了个不讲理的老太婆了。

老太婆道：“她真是你老婆，好，我问你，你老婆叫什么名字？”

她问得倒也不算出奇，丈夫当然应该知道自己老婆的名字。

捕快们抓流莺土娼的时候，总是这样问嫖客的呢！

楚留香苦笑道：“她叫张洁洁……”

他正在庆幸，幸好还知道张洁洁的名字。

谁知他一句话还没说完，老太婆已跳了起来，大骂道：“好，你这小舅子，明明是你的姐姐，偏说是老婆，你什么人的小舅子不好做，为什么却偏偏做这老甲鱼的小舅子，你究竟拿了他多少银子？”

她愈骂愈气，手里的秤又没头没脑地往楚留香身上打了下来。

这实在太不像话了，老头子也着了急，赶过来拉，大声叫嚷道：“人家又不是你老公，你凭什么打人家？”

听他的说法，女人打老公好像本是天经地义的事。

老太婆大叫道：“我偏要打，打死这小舅子……”

两人一个急着要拉，一个急着要打。

楚留香也看得发了怔，正不知是该劝的好，还是该溜的好。

忽然间，拉的和打的全都要跌倒，往他身上跌了过来。

到了这种时候，这种地步，楚留香也只好伸手去扶他们一把。

忽然间，老头子从下面抱住了他的腰，老太婆出手如风，手里的秤在一刹那间已点了他身上七八处穴道。

"没有人能骗得了楚香帅。"

这句话看来已应该加以修正了。至少应该在上面加一句："除了女人外，没有人能骗得了楚香帅。"

楚留香也忽然发现了一样事："老太婆也是女人，从八岁到八十岁的女人都一样不能信任。"

他早已发誓要加倍提防女人，只可惜还是忘了这一点。

他好像命中注定要栽在女人身上。

骡车又出了城。

老头子嘴里抽着旱烟，得意洋洋地在前面赶车。

楚留香躺在一大堆莴苣上，就像个特大号的莴苣——他一向很少穿绿颜色衣裳，偏偏今天例外。

衣服是苏蓉蓉特地为他做的。

"到人家那里去拜寿，总应该穿得鲜艳些，免得人家看着丧气。"

楚留香叹了口气："为什么不挑红的黄的，偏偏挑了件绿的呢？"

他讨厌莴苣。

他一向认为胡萝卜和莴苣这一类的东西，都是给兔子吃的。

那老太婆就坐在他旁边，上上下下地打量着他，好像对他很感兴趣。

只要是女人，就会对楚留香感兴趣，从八岁到八十岁的都一样。

张洁洁呢？

张洁洁早已不见了。

老太婆忽然看着他笑道："这次的事，想必给了你个教训吧？"

楚留香道："什么教训？"

老太婆道："教训你以后少管人家夫妻间的闲事，男人就算被自己的老婆活活打死，也是他活该，这种事本就是谁也管不了的。”

楚留香叹了口气，道：“这次的事给我的教训又何止这一个。”

老太婆道：“哦，还有什么教训？”

楚留香道：“第一，教训我以后切切不可随随便便就承认自己是别人的丈夫。”

老太婆道：“还有呢？”

楚留香道：“第二，教训我以后切切不能忘记老太婆也是女人。”

老太婆沉下了脸，道：“你栽在我手上是不是有点不情愿？”

楚留香叹道：“现在我只后悔昨天为什么没有栽在那些年轻漂亮的小姑娘手上！”

老太婆冷笑道：“只可惜你现在想已太迟了。”

楚留香苦笑道：“所以我现在只希望一件事。”

老太婆道：“什么事？”

楚留香道：“只希望变成只兔子。”

老太婆怔了，道：“兔子？”

楚留香笑道：“你若把一只兔子抛在成堆的莴苣上，它正好得其所哉，后悔的就是你了。”

那老头子忽然回过头，笑道：“老太婆，你有没有发现这人有点很特别的地方？”

老太婆道：“有什么特别的？”

老头子道：“到了这种时候，他居然还有心情说笑话，而且话还特别多。”

这的确就是楚留香最特别的地方。

愈危险，愈倒霉的时候，他愈喜欢说话。

这不但因为他一向认为说话令自己的心情松弛，也因为他往往能从谈话中找出对方的弱点来。

对方有弱点，他才有机会。

就算没有，他也能制造一个。

骡车转入一条很荒僻的小路。

楚留香眼珠子转了转，道：“这条路是往哪里去的？我以前怎么没走过？”

老太婆冷冷道：“你没走过的路还多得很，留着以后慢慢地走吧。”

楚留香道：“以后我还有机会走吗？”

老太婆道：“那就要看了。”

楚留香道：“看什么？”

老太婆道：“看我们高不高兴。”

楚留香道：“若是不高兴，难道就要杀了我？”

老太婆道：“哼！”

楚留香道：“我跟你们无冤无仇，就算要杀我，也不会是你们自己的主意吧？”

老太婆忽然不说话了。

楚留香道：“我知道有个人要杀我，却一直想不出是谁。”

他眼珠子又一转，道：“是不是张洁洁？你们是不是早已认得她了？这是不是你们早就串通好了的把戏？”

老太婆还是闭着嘴，好像已打定主意，不再跟这人说话了。

楚留香忽然笑道：“我现在才发现你也有样很特别的地方，也就是你最大的长处。”

别人提及自己的长处时，很少有人能忍得住不追问的。

老太婆果然忍不住问道：“你在说什么？”

楚留香道："你最大的长处，就是不像别的女人那么多嘴。"

老太婆道："哼！"

她虽然还是在"哼"，但脸色已好看多了。

楚留香笑了笑，又道："别人都说老太婆最多嘴，你既然不多嘴，想必还不太老。"

他忽又叹了口气，道："只可惜你太不注意打扮了，所以才会看得老些，要知道，'三分相貌七分打扮'，每个女人都是这样的。"

老太婆不由自主拉了拉自己的衣襟，摸了摸脸。

楚留香道："比如说张洁洁吧，她若像你这样一点也不打扮，看上去就不会比你年轻多少。"

老太婆情不自禁叹了口气，道："她还是个小姑娘，我怎么能跟她比？"

楚留香道："你今年贵庚，有没有三十八？"

老太婆指着脸道："你少拍我马屁。"

她虽然还想板着脸，却已忍不住要笑了。

小姑娘希望别人说自己长大了，老太婆希望别人说自己年轻。

这正是千古以来都颠扑不破的。

那老头子忽又回过头，笑道："老太婆，听说这人的一张油嘴最会骗女人，你可得小心些，莫要上他的当。"

楚留香道："我说的是实话。"

老头子笑道："难道你真认为她只有三十八，不是八十三？"

老太婆忽然跳起来，顺手一个耳光打了过去，大骂道："放你妈的屁，老娘若真有八十三，你岂非是我龟孙子？"

老头子缩起头，不敢开口了。

楚留香笑了笑，悠然道："其实这也不能怪他，在别人眼中自己的老婆看来总是特别老些。"

老太婆还在气得直喘，恨恨道："所以女人根本就不该嫁人。"

楚留香叹道："老实说，在这世界上，女人的确比较难做人，若说不嫁吧，别人又会笑她嫁不出去，若嫁了吧，又得提防着男人变心。"

他满脸都是同情之色，接着却叹道："男人好像都忘了一件事情，都忘了自己也是女人生出来的。"

天下只怕很少再有什么别的话能比这句话更令女人感动的了。

老太婆忍不住叹了口气，道："天下的男人若都像你这么通情达理，女人的日子就会好过得多了。"

楚留香苦笑道："可是像我这种人又有什么好处呢？反而有人想要我的命，而且偏偏还是女人想来要我的命。"

老太婆看着他，好像已有点同情，有点歉意，柔声道："她也许并不是真想要你的命，只不过想见见你而已。"

楚留香摇摇头，道："她若只不过想见见我，为什么不直接来找我？为什么要花这许多心机，这许多力气呢？"

他叹息着，黯然道："我其实当真做了什么对不起她的事，死也不冤枉，最冤枉的是我非但没见过她的面，连她是什么人都不知道。"

老太婆也在叹息着，讷讷道："其实我们也跟你无冤无仇的，也不是真的想害你，只不过……只不过……"

楚留香道："我知道你们一定也有你们的苦衷，所以也不想你们放了我，我只想……只想……"

老太婆慨然道："你想什么只管说，只要是我能做得到的，我一定帮你个忙。"

楚留香道："说来其实也没什么，只不过我平生不吃莴苣，而且最怕莴苣的味道，现在只觉得肚子里作怪，好像要吐。"

老太婆也显得很同情，道："莴苣的确有种怪味，我就知道有很多人不敢吃。"

楚留香道："现在若有口酒给我喝，我就会觉得舒服多了。"

老太婆笑道："这件事容易。"

这的确不能算是非分的要求，就算犯了罪的囚犯，在临刑之前，也总有碗酒喝的。

老太婆已站起来，大声道："老头子，我知道你一定藏着酒，快拿出来。"

老头子叹了口气，道："喝口酒倒是没什么，只不过他胸口几处穴道都被你点住了，这酒儿怎么咽得下去呢？"

老太婆道："我既然能点住这些穴道，难道就不能解开？"

老头子好像吓了一跳，道："你想解开他的穴道？若让他跑了，谁能担当这责任？"

老太婆冷笑道："你放心，他跑不了的。"

楚留香苦笑道："不错，若将我两条腿上的穴道都点住，我怎么跑得了？"

老头子这才慢吞吞地从车座下摸出一瓶酒，还准备自己先喝几口。

老太婆却已劈手一把抢过来，在楚留香面前扬了扬，道："小伙子，你听着，只因我觉得你人还不错，所以才给你这瓶酒喝，你可千万不能玩什么花样，否则莫怪我不客气。"

老头子喃喃道："她若真的不客气起来，我可以保证绝没有一个人能吃得消的。"

老太婆瞪了他一眼，已顺手点了楚留香两条腿上六处大穴。

老头子道："还有手——你既然这么喜欢他，不如就索性喂他吃吧。"

老太婆冷笑道："喂就喂，反正按我的年纪，至少已可以做他的……他的老大姐了，还有什么嫌疑好避的呢？"

老头子喃喃道："原来只能做他的老大姐，我还以为你已能做他的妈了呢！”

老太婆嘴里骂着，手上还是又将楚留香双臂上的穴道点住。

她年纪虽老，但一双手还是稳重得很，认穴又准又快，绝不在当世任何一位点穴名家之下。

楚留香早已看出这夫妇两人必定都是极负盛名的武林高手，一时却偏偏想不出他们是谁。

到最后，这老太婆总算将他的胸口的穴道解开，然后才扶起了他，将酒瓶对住了他的嘴，道：“你慢慢地喝吧。不是我信不过你，只因别人都说你无论在多危险的情况下，都能找到机会逃走。”

楚留香喝下两口酒，喘了口气，苦笑道：“像你这样的点穴手法，天下最多也不过只有两三个人比得上，若还有人能从你手上逃走，那才是怪事。”

老太婆笑道：“你倒识货……其实我也不信你能从我手下逃走，只不过总是小心点的好。”

楚留香一面喝着酒，一面点着头。

老太婆笑道：“用不着喝得这么急，这瓶酒反正是你的。”

她将酒瓶子拿开了些，好让楚留香喘口气。

楚留香的确在喘息。

气喘得很急，连脸都涨红了。

老太婆昂着头，喃喃道：“为什么男人总好像全都是酒鬼呢？我就一直想不通喝酒有什么好处。”

她马上就快想通了。喝酒就算没别的好处，至少总有一样好处。喝酒往往能救命！

突然间，一口酒箭般从楚留香嘴里射出来，射向老太婆的脸。

老太婆一惊，往后退，就从莴苣堆上落下。这股酒箭已射在楚留香自己的腿上。

老头子也吃了一惊，从车座上掠起翻身，马鞭直卷楚留香的脖子。

老太婆的反应更快，身子一落，立刻又弹起，十指如爪，鹰爪般向楚留香足踝上抓了过去。

只可惜他们还是慢了一步。楚留香要逃走的时候，永远没有人能猜得出他要用什么法子。等到别人知道他用什么法子的时候，总是已慢了一步。

酒箭射在他腿上，已将他腿上被点住的穴道解开——这一股酒箭冲激之力，足以将任何人点住的穴道解开。他两条腿一圈，身子立刻弹起，箭一般蹿了出去。比箭更快!

楚留香的身子只要一掠起，天下就没有任何人再能抓住他。绝没有!

“楚香帅轻功第一，天下无双！”这句话绝不是瞎说的。

他身子一掠起，立刻凌空翻身，嘴里剩下的小半口酒已乘机冲开了右臂的穴道。

他右臂一抡，身子又凌空一翻，右手已拍开了左臂的穴道。

双臂的穴道一解，更像是多了对翅膀，只见他双臂挥舞，身子就好像风车似的，在半空中转了几转，人已落在七八丈之外的树枝上。树枝几乎连动都没有动。

他站在树枝上，好像比别人站在地上还要稳得多。那老头子和老婆子似乎已看呆了。

他们没有追，因为他们已看出，就算是追，也追不上的。

何况，就算追上了又能怎么样呢？他们也没有逃，因为他们也已看出逃也逃不了。

楚留香微笑着，忽然道：“这次的事，想必也已给了你们个教训吧。”

老太婆叹了口气，道：“不错，我现在才知道，男人的话是绝不能听的。男人若对你拍马屁的话，你连一个字都不能相信。”

老头子道：“这道理你现在才明白？”

老太婆道：“因为我活了六十多岁，倒还是第一次遇见他这样的男人。”

老头子挤了挤眼，道：“你已活了六十多岁，我还以为你只有三十八呢！”

老太婆回手就是一个耳光掴了过去。

老头子抱起头来就逃，还大叫道：“老太婆揍你的时候，你就要躲得愈远愈好。”

两人一个打，一个逃，眨眼间，两个人全都不知去向了。

楚留香还是在微笑，连一点追上去的意思都没有。

他最大的好处，也许就是常常能在最要紧的时候放人家一马。他身子刚由树上轻飘飘地落下来，忽然听见了一种声音。一种非常奇怪的声音，从一个非常奇怪的地方传了出来。

就连他都从未想到这种声音会从这种地方发出来。

楚留香并不是时常容易吃惊的人，但现在却真的吃了一惊。

掌声并不是一种很奇怪的声音。楚留香虽不是唱戏的，但还是常常能听别人为他喝彩的掌声。车底也并不是什么奇怪的地方。无论大大小小，各式各样的车子，都有车底。

但此时此刻，这辆骡车的车底下居然会有掌声传出来，那就不但奇怪，而且简直奇怪得要命。

只有人才会鼓掌，车底下既然有掌声，就一定有人。骡车一路都没有停过，这人显然早已藏在车底下。

楚留香虽然吃了一惊，但脸上立刻又露出了微笑。他已猜出这人是谁了。

第三章

一线曙光

掌声还未完，笑声已响起。

掌声清脆，笑声更清脆。

一个人随着笑声从车底下钻出来，明朗的笑容，明朗的眼睛。

一个明朗美丽，令人愉快的女人。虽然身上脸上都沾满了尘土，但看来还是不会令人觉得她脏兮兮的。

有种女人无论在任何情况下看来，都像是刚摘下的新鲜杨梅，张洁洁就是这种女人。

她拍着手笑道："楚香帅果然名不虚传，果然能骗死人不赔命。"

楚留香微笑着，弯腰鞠躬。

张洁洁笑道："所以无论年纪多大的女人，都千万不能听楚香帅的话，从八岁到八十岁的女人都不例外。"

楚留香道："只有一个人例外。"

张洁洁道："谁？"

楚留香道："你。"

张洁洁道："我？我为什么是例外？"

楚留香笑道："因为你若不骗我，我已经很感激了，怎么敢骗你？"

张洁洁嘟起嘴，道："难道我骗过你？我骗了你什么，你说！"

楚留香道：“我说不出。”

张洁洁道：“哼，我就知道你说不出。”

楚留香微笑道：“骗了人之后，还能要人说不是，那才真的是本事。”

张洁洁瞪着他，眼圈儿突然红了，然后眼泪就慢慢地流了下来。

楚留香又有点奇怪了，忍不住道：“你在哭？”

张洁洁咬着牙，恨恨道：“我伤心的时候就要哭，难道这也犯法？”

楚留香道：“你伤心？伤心什么？”

张洁洁擦了擦眼泪，大声道：“我看你中了别人的暗算，就马上躲到车底下，想等机会救你，一路上也不知受了多少罪，吃了多少土，到头来又落得了什么？”

她眼泪又开始往下掉，抽抽泣泣地接着道：“你非但连一点感激我的意思都没有，反而要冷言冷语地来讽刺我，我……我怎么能不伤心……”

她愈说愈伤心，索性真的哭了出来。

楚留香怔住了。他只知道她是个很会笑的女孩子，从没有想到她也很会哭。

在楚留香看来，女人的眼泪简直比蝙蝠公子的暗器还可怕。

无论多厉害的暗器，你至少还能够躲，女人的眼泪却连躲都躲不了。

无论多厉害的暗器，最多也只不过能在你身上打出几个洞来，女人的眼泪却能将你的心滴碎。

楚留香叹了口气，柔声道：“谁说我不感激你，我感激得要命。”

张洁洁道：“那……你为什么不说出来？”

楚留香道：“真正的感激是要藏在心里的，说出来就没意思了。”

张洁洁忍不住破涕为笑，指着楚留香的鼻子，笑道：“那老头子说得果然不错，你果然有张专会骗女人的油嘴。”

楚留香道：“莫忘记老头子也是男人，男人说的话都是靠不住的。”

张洁洁笑道：“他的确是个老狐狸，而且武功也不弱。”

楚留香道：“但还比不上那老太婆，所以也就难怪他要怕老婆了。”

张洁洁道：“你是不是也觉得那老太婆的点穴手法很高明？”

楚留香道：“若单以点穴的手法而论，她已可以排在五名之内。”

张洁洁道：“这么样说来，她就应该是个很有名的武林高手？”

楚留香道：“想必是的。”

张洁洁道：“别人都说楚香帅见识最广，想必早已看出她的来历了？”

楚留香道：“没有。”

张洁洁道：“连一点都看不出来……你再仔细想想看？”

楚留香道：“不必想，这夫妻两人无论是谁都不重要。”

张洁洁道：“为什么？”

楚留香道：“因为他们以后想必已绝不会再来找我的麻烦了。”

张洁洁道：“重要的是什么呢？”

楚留香道：“重要的是，谁叫他们来的？那人在什么地方？”

张洁洁道：“你刚才为什么不问他们？为什么随随便便就放他们走了？”

楚留香道：“我若问他们，他们随随便便就会告诉我吗？”

张洁洁道：“不会。”

她想了想，又补充着道：“他们若是很容易就会泄露秘密的人，那人也就不会派他们来对付你了。”

楚留香笑道："你倒真有点和别的女人不同，你的头脑很清楚。"

张洁洁板着脸道："你是不是又想来拍我的马屁了？我可不像别人那么容易上当。"

楚留香叹道："你难道一定要我骂你，才认为我说的是真话？"

张洁洁瞪了他一眼，道："就算他们能守口如瓶，你也应该有法子让他们开口的。"

楚留香苦笑道："这夫妻两人加起来至少有一百三四十岁，我难道还将他们吊起来拷问吗？"

张洁洁嫣然道："你虽然并不是什么好东西，倒还不是这样的人！"

她忽又叹了口气，道："现在他们既然已走了，看来我只好再陪你回去找我那朋友了。"

楚留香道："那倒用不着。"

张洁洁瞪大了眼睛，道："用不着？难道你已有法子找出那个人了？"

楚留香笑了笑，道："我虽然找不出，但有人可以找得出。"

张洁洁眼睛瞪得更大，道："谁？"

楚留香的手往前面一指，道："它。"

张洁洁顺着他手指的方向看过去，就看到了那头拉车的骡子。骡子正低着头在路旁啃草。

张洁洁"扑哧"一声笑了，道："原来它也是你的朋友。"

楚留香道："骡子至少有样好处，骡子不会说谎话的。"

张洁洁笑道："但它也跟你一样，不会说人话。"

楚留香道："它用不着说话。"

他忽又问道："我若忽然走了，把你一个人留在这里，你会到什么地方去呢？"

张洁洁怔了怔，道：“随便哪里我都可以去，我至少有一千个地方可以去。”

楚留香道：“若是没有地方可以去呢？”

张洁洁道：“那么我就回家。”

楚留香笑道：“不错，你当然要回家，也一定认得路回家。”

他接着又道：“除了人之外，还有一种动物也认得路回家。”

张洁洁道：“马。”

楚留香道：“不错，老马识途，你无论将马留在什么地方，它都有法子找到路回家的。”

张洁洁笑道：“那也许还得看它是公马，还是母马呢！”

楚留香道：“公马也只好回家，它没有别的地方可去，因为这世上还没有为马开的妓院和酒铺。”

张洁洁眼睛已渐渐亮了起来，道：“你是说……这头骡子也能找得到路回家？”

楚留香笑了笑，道：“莫忘记骡子也有一半是马的种，而且比马聪明。”

张洁洁眨了眨眼，道：“你跟它回家，难道是想拜访它的驴爸爸、马妈妈？”

骡子在前面走，楚留香和张洁洁在后面跟着，走着走着，张洁洁忽然笑了起来，笑得弯下腰。

楚留香忍不住问道：“你在笑什么？”

张洁洁道：“笑我自己。”

楚留香道：“我倒看不出你有什么地方可笑的？”

张洁洁道：“我在笑我自己是个呆子。”

楚留香也笑了，道：“你怎么忽然变得如此谦虚起来了？”

张洁洁道：“我若不是呆子，为什么要跟在一头骡子屁股后面走呢？”

楚留香道：“那是因为我要找到这骡子的主人。”

张洁洁道：“你怎么知道这骡子的主人就是那个要害你的人？”

楚留香道：“我不知道，所以我才要碰碰运气。”

张洁洁看着他，慢慢地摇了摇头，道：“据说一个人若是交了桃花运，就一定会倒霉的，我为什么要陪着你去倒霉呢？”

她眨了眨眼，又道：“无论如何，至少我总没有害过你吧？”

楚留香摸了摸鼻子，道：“你的确没有。”

张洁洁道：“我是女的，你是男的，男女授受不亲，这句话你也总该听过？”

楚留香道：“我的确听过。”

张洁洁道：“所以你总不能拉住我，一定要我陪着你吧？”

楚留香叹了口气，道：“我的确不能。”

张洁洁嫣然道：“既然如此，我就要走了，我可不愿意陪着一头骡子、一个呆子到处乱逛。”

她拍了拍楚留香的肩，又笑道：“等你真的被人害死的时候，莫忘记通知我一声，我一定会赶去替你烧根香的。”最后一句话说完，她的人已在七八丈外，又回头向楚留香摇了摇手，然后就突然不见了。

楚留香忽然发现她的轻功很高，这世上假如只有一万个人，她也许比其他的九千九百九十八个人都高明得多。只有九千九百九十八个，因为其中还有个楚留香。

但现在就连楚留香都已追不上她了。

楚留香叹了口气，喃喃道：“我若真的被人害死了，怎么能去通知你呢？”

他发现这女孩子说的每句话好像全都是这样子的，半真半假，似是而非，教别人无论如何都猜不透她的用意。

“她究竟是个怎么样的人呢？对我究竟是什么意思呢？”

若说她有恶意，她又的确没有害过楚留香，而且多多少少总还向楚留香透露了一点秘密。

她躲在车子底下，的确像是在等机会救楚留香的。但若不是她，楚留香又怎会坐上那辆载满了萬苣的车子，又怎会上那一对老狐狸的当？

楚留香又叹了口气，只希望自己莫要真的像她说的那么倒霉，只希望这头骡子能帮帮他的忙，乖乖地回家，带他去见那个人。他实在想问问那个人，为什么一心要杀他？

果然回了家，回到它的老家——“源记骡马号”。

一家很大的骡马号，里面有各式各样的驴子、骡子、马。

楚留香辛辛苦苦跟着它走了半天路，好像真为的是要来看看它的驴爸爸和马妈妈。

难道张洁洁早就猜到这种结果了？看来一个人若是跟着骡子走，的确不会有什么结果的。

骡子已摇着尾巴，得意洋洋地去找它的亲戚朋友去了。

楚留香却只有一个人站在那里发怔。

过了很久，他才能笑得出来，苦笑着喃喃道：“这骡子一定也是头母骡子。”

骡马号斜对面有家酒楼，五福楼。

楚留香坐在楼上靠窗的位置上，喝到第五杯酒的时候，猛然发现自己原来是个呆子。一个不折不扣的呆子。不错，他现在已知道有个人想杀他，但他总算还是活着的。

“他既然想杀我，我为什么不等他来杀我呢？我为什么要辛辛苦苦地找他？”

楚留香喝下第六杯酒，喝得很快，因为这酒并不是好酒，至少比他藏的酒要差多了。

“连骡子都懂得要回家，我为什么还要在外面穷泡呢？”

楚留香决定喝到第十二杯酒的时候就停止。

“先去找小胡，然后回家。”

家里不但有好酒在等着他，还有很多温柔可爱的人在等着他。

他决定这一次一定要在家里多待一阵子，好好地休息休息，享受享受。他的确有权享受享受了。

石观音，无花，“水母”阴姬，画眉鸟，宫南燕，薛衣人，薛宝宝，枯梅大师，蝙蝠公子……

这些人简直没有一个是好对付的。

楚留香若不是靠着点运气帮忙，现在说不定已死了七八次。

他一开始想到以前的事，就不由自主想到了。

“我可以不管别的事情，但总不能看着她为我而死吧。”

他心里忽然又有了个阴影。还是那只手的阴影。

忽然间，一只手从旁边伸过来，伸到他面前。

一只很美丽的手，五指纤纤，柔若无骨，慢慢地提起了楚留香桌上的酒壶。

酒杯已空了。

楚留香没有抬头，只是看着酒从壶里慢慢地流出来，注满了酒杯。

酒杯又空了。

楚留香还是没有抬头。

他已看见了一套水红色的衫裙，已闻到了一股熟悉的香气。这已足够让他认出来这人是谁了。

艾虹。

楚留香实在没有想到她还会出现，忽然笑了笑，道："你已换了双鞋子。"

手垂了下去，轻轻提起了裙脚，露出了一双样子做得很秀气的绣花鞋，鞋底薄而柔软。

这种薄的鞋底，里面是绝对藏不下暗器的。

楚留香点点头，笑道："很漂亮，这才是女孩子们应该穿的鞋子。"

眼尖的店伙又摆上了一副杯筷。

楚留香道："你既然来了，为什么不坐下喝两杯呢？"

艾虹坐了下来。

楚留香这才发现，她脸色变得比上次苍白了许多，神情看来也变得忧郁了些，连嘴角上那种俏皮的甜笑都看不见了，老是深锁着眉尖，仿佛有很重的心事。

少女们就是多愁善感的，谁没有心事呢？但艾虹看来却不像是多愁善感的那种女孩子。

楚留香为她斟了杯酒，笑道："你是不是还在想着那只鞋子？鞋子还在桌底下的我那位朋友手里，我随时都可以去替你要回来。"

艾虹垂下了头，仿佛很不安。

楚留香又笑道："你放心，我那朋友虽然很欣赏你的鞋子，但这次并没有藏在桌子底下。"

艾虹咬着嘴唇，终于将面前的一杯酒喝了下去。

楚留香用她的筷子夹了块"炸响铃"，送到她面前的酱油碟里，道："空着肚子喝酒最容易醉，这里的菜做得还不错，你先尝尝。"

艾虹忽然抬起头，凝视着他，一双美丽的眼睛里充满了忧郁和痛苦。

像她这么样的女孩子，本不该如此痛苦的。

楚留香把筷子送到她手上，柔声道："你先吃点东西，我再陪你喝酒好不好？"

艾虹忽然轻轻叹息了一声，道："你和女人说话都是这么温柔的吗？"

楚留香笑了笑，道："那也得看她是个怎么样的女人。"

艾虹道："我是个怎么样的女人？"

楚留香没有回答，只是用鉴赏的目光凝视着她。

这种眼光往往比一百句赞美的话都能令女孩子们开心。

但艾虹的眼圈反而红了，显得更伤感，垂首道："我不是艾青的妹妹。"

楚留香道："我知道。"

艾虹道："我骗了你，又想杀你，我根本就是个很坏的女人，你本来用不着对我这么客气。"

楚留香微笑道："以前的事我早就忘了，因为我知道那绝不是你自己的意思。"

他忽然发现一件很奇怪的事，艾虹的左手一直都藏在衣袖里，连抬都没有抬起来过。

艾虹道："若是我自己的意思呢？"

楚留香柔声道："就算是你自己的意思，我也不怪你，像你这么天真美丽的女孩子，无论做什么事，别人都可以原谅的。"

他忽然拉起了艾虹的左手。艾虹的脸色立刻变了，变得更苍白。楚留香的脸色也变了。

袖子里空着一截，艾虹已少了一只手。

楚留香现在总算已知道窗台上的那只手是谁的了。

年轻的女孩子，往往将自己的外貌，看得比生命还重，就算手上有了个伤疤，已是非常痛苦的事，何况少了一只手呢？

楚留香不但同情，而且也不禁为她伤感。

他的确早已原谅了她。

她若是躲着他，又被他找着，或者看见他的时候，还是那种觉得男人都是笨蛋的样子，那情况也许就不同了。

但一个可怜巴巴、满怀忧郁的女孩子，自动来找他，替他倒酒，那么她无论对他做过什么事，他都绝不会放在心上。

就算他是男人也一样。

楚留香总是很快就会忘记别人的过错，却忘不了任何人的好处，所以，他不但一定活得比较快乐，也一定活得比较长。

心里没有仇恨的人，日子总是好过些的。

过了很久，楚留香才轻轻叹息了一声，黯然道："就因为你没有杀死我，所以他们才这么样对你？"

艾虹垂下头，什么都没有说，眼泪却已一滴滴落在面前的酒杯里。

楚留香道："这件事是谁做的呢？"

艾虹用力咬着嘴唇，仿佛生怕自己说出了心里的秘密。

楚留香道："你到现在还不敢说？你为什么要如此怕她？"

艾虹的确怕。

她看来不但痛苦，而且恐惧，恐惧得全身都在不停地发抖。

那人不但砍断了她的一只手，显然还随时都可能要她的命。

楚留香简直想不出有人能对这么样一个年轻的女孩子如此残忍，但若非为了他，艾虹也不可能遭遇到这种不幸。

他忽然觉得很愤怒。

楚留香一向很少动怒，因为怒气总容易影响人的判断力，发怒的人总是最容易做错事。

但他毕竟是人，总有控制不住的时候，何况现在正是他心情不太好、情绪不太稳定的时候。

他早已将回家享受这件事忘了，忽然站起来，道："你在这里坐一坐，等着我，我很快就回来。"

艾虹点点头，目光温柔地望着他，仿佛已将他看成自己唯一可以依赖的人。

她这次来，除了要楚留香谅解外，或许也因为她已感觉到自己的孤独无助。

楚留香明白她的意思。

所以有件事他非做不可。

骡马号的伙计总好像多多少少也被传染了一点骡子脾气，所以看来总不像做其他生意的那些人那么和气。

楚留香刚走进去，就有个样子并不太友善的伙计迎了上来道："客官是想来挑匹马，还是买头骡子？我们这里卖的保证都是最好的脚力。"

这句话说得总算还很客气。

楚留香道："我只不过想来打听点消息。"

听到并不是生意上门，就连客气都不必客气了。

伙计冷冷道："我们这里只有牲畜的消息，没有人的消息。"

楚留香笑了笑，道："我正是想来打听有关一头骡子的事。"

伙计冷眼打量着他，总算忍住没有说难听的话来。

楚留香道："刚才有头没有人管的骡子跑进来，你看见了没有？"

伙计道："怎么，那骡子难道是你的？"

楚留香道："不是我的，是你的。"

伙计的脸色这才稍微好看了些，道："既然是我们的，你还问什么？"

楚留香道："但这头骡子当然已被你们卖出去过一次，我只是想问问是谁买的？"

伙计的手忽然向前一指，道："你看见了吗，这里有多少骡子？"

楚留香看见了，后面栏里的骡子的确很多。

伙计道："骡子不像人，人有的丑，有的俊，骡子长得全是一样的，我们一天也不知要卖出多少头骡子，怎知道那头骡子是卖给谁的？"

伙计满脸不耐烦的样子，显然已准备结束这次谈话了。

楚留香只好使出了他最后的一种武器，也是最厉害的一种。

你就算用这样东西把别人的头打出个洞来，那人说不定还要笑眯眯地谢谢你——除了银子外，还有什么东西能有这么大的魔力？

伙计的样子立刻友善多了，笑道："我再去替你查查看，那骡子身上若是烙了标记，也许就能查出他以前的买主是谁了。"

骡子身上没有烙标记，全身上下油光水滑，简直连一根杂毛都没有。

楚留香叹了口气，已准备放弃这条线索了。

但他还是忍不住问了一句："这头骡子就是刚才自己从外面跑进来的？"

伙计笑道："我虽分不出骡子是丑是俊，但一头骡子是好是坏，我总能看得出来的，像这个骡子，我在半里地外都能认得出来。"

楚留香道："这头骡子很不错？"

伙计道："非常不错，一千头骡子里，也未必能找得出一头这么好的骡子来，所以……"

"所以"下面忽然没有了，眼睛却在看着楚留香的手。

楚留香的手一向很少令人失望的。

所以这伙计才又接着说了下去，赔笑道："像这么好的牲口，我们通常只卖给老主顾。"

楚留香眼睛亮了，立刻问道："你们这里的老主顾多不多？"

伙计笑道："这么大的字号，若没有十来个老主顾，怎么撑得住？"

他接着又道："像万盛、飞龙、镇远这几家大镖局就都是我们的老主了，但最大的主顾还得算是'万福万寿园'金家。"

楚留香道："金家的牲口也是从这里买的？"

伙计道："每年我们从关外进牲口来，总是让金家的少爷小姐们来先挑好的……"

楚留香动容道："这头骡子是不是金家买去的？你能不能确定？"

伙计点点头，道："别家的牲口上一定都烙着标记，为的是怕牲口走失，但金家财雄势大，莫说根本没有人敢动他们的一草一木，就算真的丢了几头牲口，他们也根本不在乎。"

楚留香道："所以只有他们家的牲口身上没有烙标记，是不是？"

伙计道："所以我看这头骡子，八成是他们家丢的了。"

楚留香怔住了。

有些事本是他做梦都不会去想的，但现在却已想到了。

他这次到这边来，岂非只有金家的人才知道他的行动？

这件事一开始岂非就是在金家发生的？

何况除了金家外，附近根本就没有别的人能动用这么大的力量，指挥这么多高手，布下这么多圈套。

至少楚留香还没有听说附近有力量这么大的人物。

但金家为什么要杀楚留香呢？

楚留香非但是金灵芝的朋友，而且还帮过她的忙，救过她的命。

只不过金家的人口实在太多，份子难免复杂，其中也说不定会有楚留香昔日的冤家对头，连金灵芝都不知道。

可是据金灵芝说，她只将楚留香的行踪告诉了金老太太一个人，就连她那些兄弟叔伯，都不知道楚留香这次来拜寿的事。

难道金灵芝在说谎？

难道这件事的主谋会是金太夫人？

楚留香的心乱极了，愈想愈乱，过了很久都不能冷静下来。

若是被敌人暗算，他永远都最能保持冷静。

但被朋友暗算却是另外一回事了。

那伙计忽然长长叹了口气，喃喃道："想不到光天化日之下，居然有人敢做出这种无法无天的事。"

他像是在自己感慨，又像是说给楚留香听的。

这里根本没有别的人，楚留香不得不问一句："什么事？"

伙计道："绑架。"

楚留香紧皱眉头道："绑架？什么人绑架？绑谁的架？"

伙计叹道："几条彪形大汉绑一个小姑娘的架，光天化日之下居然就把人家从对面那酒楼里绑出来，架上了马车，街上这么多人，竟连一个敢伸手管闲事的都没有。"

楚留香动容道："是个什么样的小姑娘？"

伙计道："一个很标致的小姑娘，穿的好像是一身红衣裳……"

他还想往下再说，只可惜说话的对象又忽然不见了。

楚留香已冲了过去。

他行动虽快，却还是慢了一步，既没有看见那些彪形大汉，也没有看见那辆马车，只看见一个卖水果的小贩在满地捡枇杷，嘴里骂不绝口，还有个小孩望着地上被打碎的油瓶和鸡蛋号啕大哭。

远处尘头扬起，隐隐还可以听到车辆马嘶声。

枇杷和鸡蛋想必都是被那辆马车撞翻的。

对面有个人，正牵着匹马往骡马号里走过来，楚留香顺手摸出锭金子，冲过去塞在这人手里，人已跳上了马背。

这人还没有弄清楚是怎么回事，楚留香已打马绝尘而去。

他做事一向最讲究效率，从不说废话，从不做拖泥带水的事。

所以他若真的想要一样东西，你除了给他之外，简直没别的法子。

江湖中人大都懂得如何去选择马，因为大家都知道一匹好马不但平时能做你很好的伴侣，而且往往能在最危险的时候救你的命。

马若也能选择骑马的人，一定就会选楚留香。

楚留香的骑术并不能算是最高的，他骑马的时候并不多。

但是他的身子很轻，轻得几乎可以让马感觉不出背上骑着人。

而且他很少用鞭子。

对任何有生命的东西，他都不愿用暴力。

没有人比他更痛恨暴力。

所以这虽然并不是匹很好的马，但现在还是跑得很快。

楚留香轻飘飘地贴在马背上，本身似已成为这匹马的一部分。

是以这匹马奔跑的时候，简直就跟没有骑它的时候速度一样。

按理说，以这种速度应当很快就能追上前面的马车了。

一匹马拉着辆车子，车上还有好几个人，无论多快的马，速度都会比平时慢很多的。

只可惜世上有很多事都不太讲理。

楚留香追了半天，非但没有追上那辆马车，连马车扬起的尘土都看不见了。

日色偏西。

大路在这里分开，前面的路一条向左，一条向右。

楚留香在三岔路口停下。

路旁有树，最大的一棵树下，有个卖酒的小摊子。

卖酒的人比买酒的还多。

因为这时候只有一个人在这里歇脚喝酒，卖酒的却是夫妻两个人，老板手里牵着孩子，背上还背着一个孩子。

丈夫已有四十五岁，太太年纪却还很年轻。

所以丈夫有点怕太太。

所以丈夫在抱孩子，太太却只是在一旁坐着。

楚留香一下了马，老板娘就站了起来，带着笑道："客官可是要喝碗酒？上好的竹叶青。"

她笑得仿佛很甜，长得仿佛还不难看——也许这就是丈夫怕她的最大原因。

楚留香却连多看她一眼都不敢。

第一，他从没有看别人太太的习惯。

第二，交了两天桃花运，他几乎送了命。现在只要是女人，他就看着有点害怕。

他故意去看那老板，道："好，有酒就来一碗。"

老板娘道："切点卤菜怎么样？牛肉还是早上才卤的。"

楚留香道："好，就是牛肉。"

老板娘道："半斤，还是一斤？"

楚留香道："随便。"

他有很好的习惯——他从不跟任何女人计较争辩，于是老板娘笑得更甜，忙着切肉倒酒。

的确是竹叶青，但看来却像是黄泥巴。

肉最少已卤了三天。

楚留香还是不计较，更不争辩。

他本不是来喝酒的。

他还是看看那老板，道："刚才有辆马车走过，你们看见了吗？"

老板没有说话，因为他知道他老婆喜欢说话，尤其喜欢跟又年轻又阔气的客人说话。

他也知道话说得愈多，小账愈多。

老板娘道："这里每天都有很多辆马车经过，却不知客官要找的那辆马车是什么样子？"

这下子倒把楚留香问住了，他根本连那辆车的影子都没看见。

老板娘眨眨眼，又道："刚才倒是有辆马车奔丧似的赶了过去，就好像家里刚死了人，赶回去收尸似的，连酒都没有停下来喝一杯。"

楚留香眼睛亮了，道："对，就是那辆，却不知往那条路上去了？"

老板娘沉吟着，道："那好像是辆两匹马拉的黑漆马车，好像是往左边去了……"

她咧嘴一笑，又道："客官为什么不先坐下来喝酒，等我再好好地想想。"

看来这老板娘拉生意的法子并不是酒和牛肉，而是她的笑。

她这法子一向很不错。

只可惜这次却不太灵了，她笑得最甜的时候，楚留香连人带马都已到了两三丈开外，只留了一小块银子下来。

他已不想叫任何女人对他的印象太好。

老板娘咬着嘴唇，恨恨道："原来又是个奔丧的，赶着去送死吗？"

黄昏，黄昏后。道路愈来愈崎岖，愈来愈难走，仿佛又进入山区。

天色忽然暗了下来。

林木渐渐茂密，连星光月色都看不见。

楚留香忽然发现自己迷了路，既不知道这里是什么地方，也不知道这条路是通到哪里去的。

更糟的是，上午吃的那点东西早已消化得干干净净，现在他的肚子空得简直就像是胡铁花的口袋。

他并不是挨不得饿，就算两三天不吃东西，也绝不会倒下去。

他只不过很不喜欢挨饿，他总觉得世上最可怕的两件事，就是饥饿和寂寞。

现在就算原路退回也来不及了，这条路上唯一有东西的地方，就是三岔路口上那小酒摊子。

从这里走回去至少也要一个半时辰。

楚留香叹了口气，已开始对那比石头还硬的卤牛肉怀念起来。

看看四面黑黝黝的树影，阴森森的山石，听着远处嗖嗖的风声，冷清清的流水声……

他觉得自己实在倒霉透顶。

但最倒霉的人当然还不是他，艾虹就比他还要倒霉得多。

她已少了一条手，又被人绑架，也不知是谁绑走了她，更不知被绑到什么地方去了。

还有艾青。

艾青的遭遇也许更悲惨。

楚留香摸了摸鼻子，自己苦笑。

他忽然发现自己也是个“祸水”，对他好的女孩子很少有不倒霉的。

流水声在风中听来，就好像是那些女孩子的哀泣声。

楚留香轻抚着马鬃，喃喃道："看样子你也累了，不如先去喝口水吧。"

他走到泉水旁，就看到小桥旁那小小人家。

小桥，流水，人家。

这本是幅很美、很有诗意的图画。

只可惜楚留香现在连一点诗意都没有，此刻在他眼中看来，世上最美丽的图画也比不上一碗红烧肉那么动人。

低低的竹篱上爬着一架紫藤花，昏黄的窗纸里还有灯光透出来。

屋顶上炊烟袅袅，风中除了花的香气外，好像还有葱花炒鸡蛋的香气，除了流水声外，又多了一种声音。

楚留香肚子叫的声音。

他下了马，硬着头皮去敲门。

应门的是个又瘦又矮的小老头子，先不开门，只是躲在门后上上下下地打量着楚留香，那眼色就像是一只受了惊的兔子。

楚留香唱了个肥喏，赔笑道："在下错过宿头，不知是否能在老丈处借宿一宵，明晨一早上路，自当重重酬报。"

这句话，好像是他小时在一个说书先生嘴里听到的，此刻居然说得很流利，而且看来仿佛很有效。

他觉得自己的记忆力实在不错。

这句话果然有效，因为门已开了。

这小老头其实并不老，只有四十多岁，头发都没有了。

他叫卜担夫，是个砍柴的樵夫，有时也打几只野鸡兔子换酒喝。

今天他刚巧打了几只兔子，所以晚上在喝酒，他酒喝得慢，菜却吃得快，所以又叫他的女人炒蛋加菜。

他笑着道："也许就因为喝了酒，所以才有胆子去开门，否则三更半夜的，我怎么肯随便就把陌生人放进来？"

楚留香只有听着，只有点头。

卜担夫又笑道："我这里虽没有什么值钱的东西怕被人抢，却有个漂亮女儿。"

楚留香开始有点笑不出了。

现在他什么都不怕，就只怕漂亮的女人。

有了人陪酒，就喝得快了些。

酒一喝多，豪气就来了。

卜担夫脸已发白，大声道："鹃儿，快去把那半只兔子也拿来下酒。"

里面的屋子里就传来带着三分埋怨、七分抗议的声音，道："那半只兔子你老人家不是要等到明天晚饭吃的吗？"

卜担夫笑骂道："小气鬼，也不怕客人听了笑话，快端出来，也不必切了，我们就撕着吃。"

他又摇头笑道："我这女儿叫阿鹃，什么都好，就是没见过世面，我真担心她将来嫁不出。"

楚留香连头都不敢点了，一听到小姑娘要嫁人的事，他哪里还敢搭腔？

一个布衣粗裙、不着脂粉的少女，已端了个菜碗走出来，低着头，噘着嘴，重重地把碗往桌上一搁，扭头就走。

楚留香虽然不敢多看，还是忍不住瞄了一眼。

卜担夫并没有吹牛，他的女儿的确是个很漂亮的女孩子，长长的头发，大大的眼睛，只不过脸色好像特别苍白。

害羞的女孩子大多是这样子的。

她既不敢见人，当然也就见不到阳光。

楚留香转过头，才发现卜担夫也正目光灼灼地看着他，眼睛里仿佛带着种不怀好意的微笑，笑问道：“你看我这女儿怎么样？”

人家既已问了出来，你想不回答也不行。

楚留香摸了摸鼻子，笑道：“老丈只管放心，令爱一定能嫁得出去。”

卜担夫道：“若嫁不出去呢？你娶她？”

楚留香又不敢搭腔了，只恨自己为什么要多话。

卜担夫大笑，道：“看来你倒是老实人，不像别的小伙子那么油嘴滑舌，来，我敬你一杯，这年头像你这么老实的小伙子已不多了。”

卜担夫醉了。

一个人若敢跟楚留香拼酒，想不醉也不行。

“看来你倒是个老实人……这年头像你这么老实的小伙子已不多。”

楚留香几乎忍不住要笑了出来。

他有时被人称作大侠，有时被人看作强盗，有时被人看作君子，有时被人看作流氓……但被人看作个“老实人”，这倒还是平生第一次。

“他若知道我究竟有多‘老实’，一定会吓得跳起来三丈高。”

楚留香微笑着，躺了下去。

躺在稻草上。

这种人家当然不会有客房，所以他也只好在堆柴的地方将就一夜。无论如何，这地方总有个屋顶，总比睡在露天里好。

他若知道在这里会遇到什么事，宁可睡在阴沟也不愿睡在这里了。

夜已深，四下静得很。

深山里那种总带着几分凄凉的静寂，绝不是红尘中人能想得到的。

虽然有风在吹，吹得树叶嗖嗖地响，但也只不过使得这寂静更平添几分萧索之意。

白天经过了那么多事，在这么一个又凄凉又萧索的晚上，躺在一家陌生人柴房里的草堆上面。

你叫楚留香怎么睡得着？

他忽然想起了小时候听那说书先生说起的故事："一个年轻的举人上京赶考，路上错过宿头，投宿到深山里一处人家，年迈的主人慈祥而好客，还有个美丽的女儿。

"主人看这少年学子年轻有为，就要将女儿嫁给他。他也半推半就，所以当夜就成了亲。

"第二天早上他才发现自己睡在一个坟堆里，身旁的新娘子已变成一堆枯骨，却仍将他送的聘礼的玉镯戴在腕上。"

楚留香一直觉得这故事很有趣，现在忽然觉得不太有趣了。

风还在吹，木叶还在嗖嗖地响。

如此深山，怎么会有这么样一户人家？

"明天早上，我醒来时，会不会也是躺在一片坟堆里？"

当然不会，那只不过是个荒诞不经的故事。

楚留香又笑了，但也不知为了什么，背脊上还觉得有点凉飕飕的。

幸好卜担夫没有勉强要将女儿嫁给他，否则他此刻只怕已要落荒而逃了。

风更大，吹得门"吱吱"发响。

月光从窗外照进来，苍白得就像是那位阿鹃姑娘的脸。

楚留香悄悄站起来，悄悄推开门，想到院子里去透透气。

他一推开门，就看到了这一生永远也无法忘怀的事。他只希望自己永远没有推开过这扇门。

星光朦胧，月色苍白。

那位阿鹃姑娘正坐在月光下静静地梳着头。

少女们谁不爱美，就算在半夜里爬起来梳头，也不能算是件很稀奇的事，更不能算可怕。

但这阿鹃姑娘梳头的法子却很特别。

她将自己的头拿了下来，放在面前的桌子上，一下一下地梳着。

月光照着她苍白的脸，苍白的手。头在桌上。人没有头。

楚留香全身冰冷，从手指冷到脚趾。他这一生从来也没有遇见到如此诡秘、如此可怕的事。

这种事本来只有在最荒诞的故事里才会发生的。他做梦也想不到自己会亲眼看到。

阿鹃姑娘的头突然转了过来——用她的手将她的头转了面对着楚留香，冷冰冰地看着楚留香。

“你敢偷看？”

四下没有别人，这声音的确是从桌上的人头嘴里说出来的。

楚留香胆子一向很大，一向不信邪，无论遇着多可怕的事，他的腿都不会发软。

但现在他的腿已有点发软了。他想往后退，刚退了一步，黑暗中突然有条黑影蹿了出来。

一条黑狗。这条狗竟蹿到桌子上，竟一口咬住了桌上的人头。

人头竟已被狗衔走，还在呼叫：“救救我……救救我……”

卜阿鹃已没有头。没有头的人居然也在哀呼：“还我的头来……还我的头！”

第四章

好梦难成

星光朦胧，月色苍白。

狗已蹿入黑暗中，人头犹在哀呼："救救我……救救我……"

没有头的人也还在哀呼："还我的头来，还我的头……"

凄厉的呼声此起彼落。

风在呼号，伴着鬼哭。

无论谁看到这景象，听到这声音，纵然不吓死，也得送掉半条命。

楚留香没有。

他的人突然箭一般蹿了出去，去追那条狗。

"无论你是人是狗，只要在我饥饿时给了我吃的，在我疲倦时给我地方睡觉，我就不能看着你的头被狗衔走。"

这就是楚留香的原则。

他一向是个坚持自己原则的人。

狗跑得很快，一眨眼就又没入黑暗中。

"但无论你是人是狗，楚留香若要追你，你就休想跑得了。"

有些人甚至认为楚香帅的轻功，本就是从地狱中学来的。

掠过竹篱时，他顺手抽出了一根竹子。

三五个起落后，那条衔着人头的狗距离他已不及两丈。

他手中短竹已飞出，箭一般射在狗身上。

黑狗惨嗥一声，嘴里的人头就掉了下来。

楚留香已掠过去拾起了人头。

冰冷的人头，又冷又湿，仿佛在流着冷汗。

楚留香忽然觉得不对了。

“嘭”的一声，人头突然被震碎，一股暗赤色浓腥烟从人头里射了出来，带着种无法形容的臭。

楚留香倒下。

无论谁嗅到这股恶臭，都一定会立刻倒下。

夜露很重，大地冰冷而潮湿。

楚留香倒在地上。

远处隐隐有凄厉的呼声随风传来，也不知是犬吠，还是鬼哭。

突然间，一条人影自黑暗中飘飘荡荡地走了过来。

一条没有人头的人影。

没有头的人居然也会笑，站在楚留香面前咯咯地笑。

突然间，已被迷倒的楚留香竟从地上跳了起来，一把抓住了这“无头人”的衣襟。

“哧”的一声，衣襟被扯开，露出一个人的头来。

卜担夫!

原来他有头，只不过藏在衣服里，衣服是用架子架起，若非他的人又瘦又矮，看来当然就不会如此逼真。

那颗被狗衔去的头呢?

头是蜡做的，里面藏着些火药和引线，引线已燃着，只要能算准时间，就能算准引线的长短。

他时间算得很准。

所以人头恰巧在楚留香手里炸开，将迷药炸得四射飞散。

他什么都算得很准，却未算到楚留香还能从地上跳起来。

在这一刹那间，卜担夫脸上的眼睛、鼻子、眉毛、嘴，仿佛都已缩成了一团，就像是被人重重地打了一拳似的。

楚留香却笑了，微笑着道："原来你酒量不错，看来再喝几杯也不会醉。"

此时此刻，他居然说出这么样一句话来，你说绝不绝？

卜担夫也只有咧开嘴笑笑，身子突然一缩，居然从衣服里缩下来，就地一滚，已滚出好几丈。

等他身子弹起时，已远在五六丈外。

楚留香脱口道："好轻功！"

这三个字说出，他的人也已在五六丈外。

卜担夫连头都不敢回，拼命往前蹿，他轻功的确不弱，若非遇见楚留香，他一定可以逃走的。

不幸他遇着了楚留香。

他掠过竹篱，楚留香眼见已将追上他。

谁知楚留香却突然停了下来，因为他又看到院子里有个人在梳头。

星光朦胧，月色苍白。

卜阿鹃正坐在月光下，慢慢地梳着头。

这次她当然没有把头拿下来。

她的头发漆黑光滑，她的手纤细柔美。她的脸苍白如月色。

她身上只穿着件紫罗衫，很轻，很薄，风吹过，罗衣贴在身上的，现出了她丰满的胸，纤细的腰，和笔直修长的腿。

风中的轻罗就像是一层淡淡的雾。

轻罗中晶莹的躯体若隐若现，也不知是人在雾中，还是花在雾中。

楚留香并没有走过去，但也没有走开。

他并不是君子，却也不是瞎子。

卜阿鹃忽然回过头来，嫣然一笑，道："你还没有死？"

楚留香也笑笑，道："我还是人，不是鬼。"

卜阿鹃道："那迷药不灵？"

楚留香道："迷药很灵，只可惜我的鼻子不灵。"

卜阿鹃道："那种迷药的厉害我知道，就算没有鼻子的人也一样要被迷倒。"

楚留香又笑笑，道："就算没有鼻子，头也不会那么轻。"

卜阿鹃眨眨眼，道："你是不是一发觉那人头太轻，就立刻闭住了呼吸？"

楚留香又笑笑道："也许我什么都没有发觉，只不过运气特别好。"

卜阿鹃也笑道："我知道你近来运气并不好。"

楚留香道："哦？"

卜阿鹃嫣然道："交了桃花运的人，运气都不会太好的。"

楚留香不由自主又摸了摸鼻子，道："你怎么知道我交了桃花运？"

卜阿鹃笑道："因为你不但有双桃花眼，还有个桃花鼻子。"

楚留香微笑道："幸好我的手不是桃花手，所以你还能好好地坐在那里。"

卜阿鹃眼波流转道："你的手很老实？"

楚留香道："你希望我的手不老实？"

卜阿鹃咬着嘴唇，道："你的手若真老实，就过来替我梳梳头吧。”

楚留香不说话，也不动。

卜阿鹃用眼角瞟着他，道：“你不会梳头？”

楚留香道：“我的手虽老实，却不笨。”

卜阿鹃道：“你不喜欢替人梳头？”

楚留香道：“有时喜欢，有时就不喜欢，那得看情形。”

卜阿鹃道：“看什么情形？”

楚留香道：“看那个人的头是不是能从脖子上拿下来。”

头发光滑柔美，在月光下看来就像是缎子。

楚留香忽然发觉替女孩子梳头也是种享受——也许被他梳头的女孩子也觉得是种享受。

他的手很轻——

卜阿鹃的眸子如星光般朦胧，柔声道：“我很久以前就听人说过，楚香帅从不会令女人失望，以前我一直不信。”

楚留香道：“现在呢？”

卜阿鹃回眸一笑，道：“现在我相信了。”

楚留香道：“你还听人说过我什么？”

卜阿鹃眨着眼，缓缓道：“说你很聪明，就像是只老狐狸，世上没有你不懂的事，也没有人能令你上当。”她嫣然接着道，“这些话现在我也相信。”

楚留香忽然叹了口气，苦笑道：“但现在我自己却已有点怀疑。”

卜阿鹃道：“哦？”

楚留香道：“今天我就看见了一样我不懂的事。”

卜阿鹃道：“什么事？”

楚留香道：“那人头怎么会说话？”

卜阿鹃笑了，道："不是人头在说话，卜担夫在说话。"

楚留香道："但我明明看见那人头说话的。"

卜阿鹃道："你并没有真的看见，只不过有那种感觉而已。"

楚留香道："那种感觉是怎么来的呢？"

卜阿鹃道："卜担夫小时候到天竺去过，从天竺僧人那里学会了一种很奇怪的功夫。"

楚留香道："什么功夫？"

卜阿鹃道："天竺人将这种功夫叫作'腹语'，那意思就是他能从肚子里说话，让你听不出声音是从哪里发出来的。"

楚留香又叹了口气道："看来这世上奇奇怪怪的学问倒真不少，一个人无论如何也学不完。"

卜阿鹃嫣然道："你现在已经够令人头疼的，若全都被你学了去，那还有别人的活路吗？"

楚留香笑笑，忽又问道："看来卜担夫并不是你的父亲？"

卜阿鹃笑道："当然不是，否则我怎么会直接叫他的名字。"

楚留香道："他是你的什么人？"

卜阿鹃道："他是我的老公。"

楚留香拿着梳子的手忽然停住，人也怔住。

卜阿鹃回眸瞟了他一眼，嫣然道："老公的意思就是丈夫，你不懂？"

楚留香只有苦笑道："我懂。"

卜阿鹃瞟着他的手，道："你为什么一听说他是我的老公，手就不动了？"

楚留香道："只因为我还没有习惯替别人的老婆梳头。"

卜阿鹃笑道："你慢慢就会习惯的。"

楚留香苦笑道："我认为这种习惯还是莫要养成的好。"

卜阿鹃吃吃地笑了起来，道：“你怕他吃醋？”

楚留香道：“嗯。”

卜阿鹃道：“他又没打过你，追也追不着你，你怕什么？”

楚留香道：“我不喜欢看到男人吃醋的样子。”

卜阿鹃眼波流动，道：“他若不吃醋呢？”

楚留香道：“天下还没有不吃醋的男人，除非是个死人。”

卜阿鹃道：“你想他死？”

楚留香道：“这话是你说的，不是我。”

卜阿鹃道：“嘴里说不说是一回事，心里想不想又是另外一回事。”

她似笑非笑地瞅着楚留香，悠然道：“其实只要你愿意，他随时都可能成个死人的。”

楚留香笑了笑，淡淡道：“只可惜我也还没有养成杀别人老公的习惯。”

卜阿鹃道：“为了我你也不肯？”

楚留香不回答。

他从不愿说让女孩子受不了的话。

卜阿鹃道：“莫忘了他刚才本想杀了你的。”

楚留香眨眨眼，道：“要杀我的人真是他？”

卜阿鹃忽然轻轻叹息了一声，慢慢地站了起来，接过楚留香的梳子。

楚留香道：“你在叹气？”

卜阿鹃叹道：“一个人心里难受的时候，总是会叹气的。”

楚留香道：“你很难受？”

卜阿鹃道：“嗯。”

楚留香道：“为什么难受？”

卜阿鹃道："因为我本不想你死，但他若不死，你就得死了。"

楚留香道："哦？"

卜阿鹃道："你不信？"

楚留香微笑道："因为我总觉得，死并不是件很容易的事。"

卜阿鹃悠然道："但也并不像你想的那么困难。"

她忽然扬起手里的梳子，道："你知道这梳子是什么做的？"

楚留香道："木头。"

卜阿鹃道："木头有很多种——据我所知，大概有一百种左右。"

楚留香在听着。

卜阿鹃道："这一百种木头，九十几种都很普通。"

她又笑了笑道："普通的意思就是没有毒，你用那种木头做的梳子替别人梳头，要死的确不容易。"

楚留香道："你的梳子呢？"

卜阿鹃道："我这梳子的木头叫'妒夫木'，是属于很特别的那种。"

楚留香道："有什么特别？"

卜阿鹃没有回答这句话，却轻抚着自己流云般的柔发，忽又问道："你觉得我头发香不香？"

楚留香道："很香。"

卜阿鹃道："那只因我头发上抹着种香油。"

楚留香目光闪动，问道："香油是不是也有很多种类？"

卜阿鹃道："对了，据我所知，香油大概也有一百种左右。"

楚留香道："其中是不是也有九十几种都普通，无毒？"

卜阿鹃嫣然道："你怎么愈来愈聪明了？"

楚留香笑笑，道："你头发抹的，当然又是比较特别的那种。"

卜阿鹃道："完全对了。"

楚留香又叹了口气，道："我怎么看不出有什么特别呢？"

卜阿鹃道："我这种香油叫'情人油'，妒夫木一遇着情人油，就会发出一种很特别的毒气，你替我梳头的时候，这种毒气已在不知不觉间沁入你手上的毛孔里，所以……"

她又轻轻叹了一声，慢慢地接着道："最多再过一盏茶的工夫，你这双手就会开始腐烂，一直会烂到骨头里，一直要将你全身骨头都烂光为止。"

楚留香怔住了。

卜阿鹃微笑道："你说我这种杀人的手法妙不妙？只怕连无所不知的楚香帅都想不到吧？"

楚留香叹了口气，苦笑道："看来这世上奇奇怪怪的杀人法子倒真不少。"

卜阿鹃道："今天你就遇见了两种。"

楚留香道："前两天我已经遇见了好几种。"

卜阿鹃道："你是不是觉得每种都很巧妙？"

楚留香道："的确巧妙极了。"

他忽然也笑了笑，淡淡地接着道："虽然都很巧妙，但直到现在我还是好好地活着。"

卜阿鹃悠然道："只不过是到现在为止而已，以后呢？"

楚留香道："以后的事谁知道。"

卜阿鹃道："我知道。"

楚留香道："哦！"

卜阿鹃道："我可以向你保证，我用的这种法子不但最巧妙，而且最有效。"

她微笑着，接着道："你就算可以随时闭住呼吸，总不能连毛孔也一齐闭住吧？"

楚留香点了点头，长叹道：“这么样看来，我已是非死不可的了！”

卜阿鹃道：“所以我心里很难受。”

楚留香道：“你既然这么难受，为什么不让我活下去呢？”

卜阿鹃眼珠子转了转，道：“你若想不死，只有一种法子。”

楚留香道：“什么法子？”

卜阿鹃道：“去替我杀了卜担夫。”

楚留香道：“你为什么不自己去杀他？”

卜阿鹃幽幽地叹息着道：“我虽然并不是什么好女人，但谋杀亲夫这种事，我还是做不出。”

楚留香道：“你以为我做得出？”

卜阿鹃道：“他既不是你朋友，也不是你老公，你要杀他，只不过是举手之劳而已，除非你认为他那条命比你的命重要。”

楚留香又开始在摸鼻子。

卜阿鹃忽然道：“你最好赶快决定，否则毒性若是发作，后悔就迟了。”

她神气愈悠闲，就显得情况愈严重。

楚留香想必也很明白这道理，所以赶快问道：“我现在去还来得及？”

卜阿鹃笑了笑，道：“楚香帅轻功天下无双，我倒也知道的。”

楚留香苦笑道：“只可惜他现在早已不知溜到哪里去了，我怎么找得到他呢？”

卜阿鹃笑道：“知子莫若父，知夫莫若妻，这道理你都不懂？”

楚留香道：“你知道他在哪里？”

卜阿鹃淡淡道：“一个女人若连自己老公的行踪都不知道，简直就不如去死了算了。”

她很快地接着又道："你刚才来的时候，总看到那条山泉了吧？"

楚留香点点头，卜阿鹃道："好，你只要沿着泉水一直往上游走，就会看到一道瀑布，后面有个很隐秘的山洞，他一定就躲在那里。"

楚留香沉吟着，道："我若杀了他，你就肯拿解药给我？"

卜阿鹃道："不错，用他的人头来换解药，用他的命来换你的命，公平交易，谁也不吃亏。"

楚留香道："但你为什么一定要他的命呢？"

卜阿鹃冷冷道："这个故事你回来时，我也许会告诉你，现在你还要问，只怕就来不及了。"

楚留香叹了口气，道："我只问最后一句话，你是不是一定会在这里等我？"

卜阿鹃道："当然。"

楚留香果然连一个字都不再多说，掉头就走。

只见他人影一闪，已远在六七丈外，再一闪就没入黑暗里。

卜阿鹃显得有点吃惊，仿佛想不到楚留香答复得这么痛快。

"楚留香岂非从来不杀人的吗？"

"但天下绝没有真不怕死的人。他也是人，当然明白自己的性命无论如何总比别人的珍贵得多了。"

想到这里，卜阿鹃就笑了，笑得非常得意。

她一向认为天下的男人都是呆子，要男人上当简直比刀切豆腐还容易。

直到今天，她才知道原来连楚留香也不例外。

楚留香不但上了当，而且上了连环当。

第一，卜担夫根本不是她丈夫。

第二，卜担夫根本不在那瀑布后的山洞里，现在早已不知溜到哪里去了。

第三，这梳子本是很普通的木头做的，她头上抹的也只不过是种很普通的茉莉花香油。

第四，世上根本就没有“妒夫木”和“情人油”这种东西，这种稀奇古怪的毒物，也许只有在鬼话故事里才存在。

第五，她要楚留香到那瀑布后的山洞里去，只不过是要他去送死，无论谁单独闯进了那地方，都休想还能活着出来。

“男人好像天生就是要给女人骗的，女人若不骗他，他也许反而会觉得浑身不舒服。”

卜阿鹃开心极了，也得意极了。

她觉得自己不但做功很好，唱功也不差。

男人若是遇见了一个唱做俱佳的女人，简直只有死路一条。

卜阿鹃披起件比较不透明的衣服，从屋后牵出了楚留香骑来的那匹马，飘身上马，打马而去。

她忽然发觉在月下骑马原来也很有诗意。

夜已很深，星已渐稀。

月光虽然还是很明亮，却照得四下景色分外凄凉。

无论如何，一个女人孤单单地走在如此荒凉的山路上，总不是件很愉快的事，也并没什么诗意。

卜阿鹃心里的诗意早已不知飞到哪里去了，只觉得风吹在身上，冷得很。

“三月的风为什么也会这么冷？”

她紧紧拉起了衣襟，嘴里开始哼起了小调。

她歌喉本来很不错的，但现在却连她自己听来也不太顺耳。

“三月里来百花香，杜鹃花开在山坡上……”

山坡上没有杜鹃花，事实上，山坡上连一朵喇叭花都没有。

转过一处山坳，连月光都被遮住了，一棵棵黑黝黝的树木，在风中摇晃着，就像是一个个张牙舞爪的鬼影子。

风吹着木叶，马蹄踏在石子路上，嘚嘚，嘚嘚，嘚嘚……就好像后面还有匹马在跟着。

她骑得愈快，后面的声音也跟得愈快。

她几乎忘了这本是她自己这马匹的蹄声，渐渐她甚至已觉得后面有个人在跟着。

她想回头看看，又生怕真的看到了鬼。

若是不回头去看，又不放心。

好容易才壮起胆子，回头一看——

风在吹，树影在动，哪有什么人？

明明没有人，但她却偏偏又好像看到了一条人影在她回头的那一瞬间躲入了树后，身法快得简直就好像鬼魅一样。

“世上哪有身法如此快的人，除非是楚留香。”

计算时间，楚留香现在早已应该进了那山洞，说不定早已被山洞里那些怪人砍下了脑袋。

“现在他说不定已经变成了个无头鬼，而且还是个糊涂鬼，连自己为什么死的都不知道。”

卜阿鹃又想笑了，但也不知为了什么，就是笑不出来。

楚留香活着时已经够难缠的了，若真变成了鬼，那还得了？

卜阿鹃拼命打马，只希望快点走完这条山路，快点天亮。

忽然间，风中缥缥缈缈地传来一阵阵哀呼声！

“还我的头来，还我的头来……”

一阵风吹过，树上好像摇摇晃晃站着条人影，有手有腿，身子也是完完整整的，就是没有头。

卜阿鹃全身的毛发倒竖了起来，想瞪大眼睛看清楚些。

但她的眼睛一眨，那没有头的鬼影子也不见了。

“还我的头来，还我的头来——”

哀呼声还是若有若无，似远似近地在风中飘动着。

这呼声本是卜担夫用来吓楚留香的，她本来觉得很好玩。

现在，她才发觉这种事一点也不好玩。

她衣裳已被冷汗湿透。

忽然间，黑影又一闪，经马头上掠过。

还是那条没有头的鬼影子。

这匹马一声长嘶，人立而起，卜阿鹃本来可以夹紧马鞍的。

她骑术本不弱。

但现在她两条腿却好像已有点发软，竟被掀下了马背，一跤重重地跌在路上，眼前冒出金星。

再看那条鬼影子，又飘到了另一株树上。

树林在风中摇晃，这影子也随着树枝在摇晃。

除了楚留香外，谁有这么高的轻功？

卜阿鹃用尽全身力气，大叫道：“我知道你是楚留香，你究竟是人，还是鬼？”

影子在树上咯咯地笑了起来，阴森森地笑着道：“当然是鬼，人怎么会没有头？”

卜阿鹃咬着嘴唇，道：“你……你的头藏在衣服里？”

这影子忽然大笑，道：“这次你总算说对了。”

笑声中，楚留香的头已从衣服里钻了出来。

这证明了一个道理。

有些事发生在别人身上，就是笑话就是闹剧，若发生在你自己身上，就变成悲剧了。

卜阿鹃的两条腿忽然不软了，一跳就跳了起来，用力拍着身上的土，冷笑着道：“你以为你能骗得到我？我早就知道是你了。”

楚留香道：“哦？你既然早已知道了，为什么会害怕呢？”

卜阿鹃恨恨道：“谁害怕？无论你是人是鬼，我都不怕你。”

楚留香眨眨眼，笑道：“那么刚才从马背上摔下来的人是谁呢？”

卜阿鹃大声道：“人有失手，马有失蹄，那也没什么稀奇。”

楚留香道：“要什么事才算稀奇？”

卜阿鹃冷笑道：“堂堂的楚香帅居然等在路上装神扮鬼吓女人，那才叫稀奇，以后我若说出来，丢人的不是我，是你。”

楚留香道：“我只看见有人骑着我的马，还以为是个偷马的小贼，怎么知道是你？”

他笑了笑，忽然道：“你本来岂非应该在家里等我的？”

卜阿鹃叫了起来，道：“你呢？你本来应该在那山洞里的，你为什么不去？”

楚留香叹了口气，道：“这原因说来就很复杂了，你想不想听？”

卜阿鹃道：“你说。”

楚留香道：“第一，卜担夫根本不是你老公，他也根本不叫卜担夫。”

卜阿鹃道：“谁说的？”

楚留香神秘一笑道：“我说的，因为我忽然想起他是谁了。”

卜阿鹃道：“他是谁？”

楚留香道：“他姓孙，叫不空，人称‘七十一变’，那意思就是说他诡计多端，比起孙悟空来也只不过少了一变，昔年本是下五门的第一高手，近十年来，也不知为了什么突然销声匿迹，今年算来应该已有六十三四了，只因他练的是童子功，所以看来还年轻。”

他一口气说到这里，简直就好像在背家谱似的。

卜阿鹃已听得怔住了。

楚留香又道："就因为他练的是童子功，平生没有犯淫戒，所以才能活到现在，一个练童子功的人，当然不会娶老婆。"

卜阿鹃狠狠瞪了他一眼，冷笑道："想不到连他那种人的事，你也这么清楚，看来你八成也是他一路的。"

楚留香笑道："莫忘了别人总说我是盗贼中的大元帅，一个做大元帅的人若连自己属下的来历都弄不清，还混什么？岂非也不如去死了算了。"

卜阿鹃眼珠子一转，冷冷道："只可惜这位大元帅已眼见要进棺材。"

楚留香淡淡笑道："只可惜我说了第一，当然还有第二。"

卜阿鹃道："第二？"

楚留香道："第二，你那把梳子既不是'妒夫木'，头上抹的也不是'情人油'。"

卜阿鹃脸上变了变，瞪眼道："谁说的？"

楚留香笑了笑，道："我说的，因为我知道你头上抹的是京城'袁华斋'的茉莉花油，是这家老店的独门秘方配制出来的，香味特别清雅，所以要卖八钱银子一两，而且只此一家出售，别无分号。"

卜阿鹃眼睛瞪得更大，道："你怎么知道的？"

楚留香道："我闻得出。"

卜阿鹃道："你鼻子不是不灵吗？"

楚留香笑道："我鼻子有时不灵，有时候也很灵，那得看情形。"

卜阿鹃道："看什么情形？"

楚留香道："看我闻的是什么，闻到狗屎、迷药时，我鼻子当然不灵，闻到漂亮女人身上的脂胭花粉时，我鼻子也许比谁都灵得多。"

卜阿鹃咬紧了牙，恨恨道："难怪别人说你是个色鬼，看来果然一点也不错。”

楚留香道：“过奖过奖。”

卜阿鹃道：“你说了第二，是不是还有第三？”

楚留香道：“有。”

他微笑着接道：“第三，我忽然想起住在那山洞里是什么人了。”

卜阿鹃眨眨眼道：“是什么人？”

楚留香道：“是一家姓麻的人，麻烦的麻，无论谁去惹他们，就是在惹麻烦。”

卜阿鹃冷笑道：“真想不到，楚留香居然也有害怕的人。”

楚留香道：“我别的都不怕，就只怕麻烦。”

卜阿鹃冷冷道：“只可惜现在你早已有了麻烦上身了。”

楚留香叹了口气，道：“所以现在我只想找出麻烦是哪里来的。”

卜阿鹃道：“你难道想叫我告诉你？”

楚留香道：“你难道还能不告诉我？”

卜阿鹃道：“不告诉你难道不行？”

楚留香道：“不行。”

卜阿鹃的眼珠子转了转，道：“我就偏不告诉你，看你能把我怎么样。”

楚留香什么话也不说，突然拦腰将她抱了起来。

卜阿鹃失声道：“你……你敢非礼？”

楚留香露出牙齿来一笑，道：“请莫忘了我是个色鬼。”

卜阿鹃瞪着他看了半晌，忽然轻轻地叹了口气，闭上眼睛道：“好，我就让你非礼一次。”

楚留香反而怔了怔，道：“你不怕？”

卜阿鹃幽幽道：“我又有什么法子呢？打也打不过你，跑又跑不过你。”

楚留香道："你难道不会叫？"

卜阿鹃叹道："一个女人家，大喊大叫的，成什么体统。何况三更半夜的，四野无人的，我就算叫，也没有人听得见。"

她忽然钩住楚留香的脖子，贴近他耳畔，悄悄道："你若想非礼我，现在正是好时候，等到天一亮，就没有情调了。"

半夜三更，四野无人，月光又那么温柔，假如有个像卜阿鹃这样如花似玉的美人，被你抱在怀里，咬着你的耳边悄悄对你说这些话……

你怎么办？

楚留香真不知怎么办。

看他脸上的表情，就好像怀里抱着的并不是个大美人，而是个烫手的热山芋。

卜阿鹃一双手将他搂得更紧，闭着眼睛，在他耳朵轻轻地喘着气。

她在等。

看来楚留香若想将这热山芋脱手，还真不容易。

只不过这热山芋的确很香，香得迷人。

香得就算你刚吃过一顿山珍海味，肚子还胀得要命，也忍不住想咬一口的。

楚留香发觉自己的心也在跳，跳得很厉害。

卜阿鹃媚眼如丝，柔声道："你还等什么？难道你只会动嘴？"

楚留香干咳了两声，道："君子动口不动手。"

卜阿鹃媚笑道："但你并不是个君子。"

楚留香叹了口气，道："我的确不是。"

他的确已准备放弃做君子的权利了，谁知就在这时，路旁的暗林中，突然响起了一阵银铃般的笑声。

一个穿着黄衣裳的女孩子，倚在树上，吃吃地笑个不停。

她笑得不但好听，而且好看。

她一双小小的眼睛笑的时候是眯着的，就好像一双弯弯的新月。

楚留香几乎忍不住叫了起来："张洁洁。"

这女孩子实在太神秘，楚留香永远也猜不到她什么时候会在自己面前出现，也猜不到她什么时候会不见。

卜阿鹃已叫了出来："你是谁？"

张洁洁笑道："我也不是谁，只不过是个刚巧路过这里的人。"

卜阿鹃瞪着眼道："你想干什么？"

张洁洁道："我什么都不想干，他非礼你也好，你被他非礼也好，都和我一点关系都没有。"

卜阿鹃道："那么你就快走。"

张洁洁道："我也不想走。"

她吃吃地笑着，又道："你们做你们的，我难道在这里看看都不行？"

卜阿鹃道："你凭什么要看？"

张洁洁道："我高兴。"

天大的道理也说不过"高兴"两个字。

卜阿鹃已经够不讲理的了，想不到偏偏遇见个更不讲理的。

楚留香几乎忍不住要笑了出来。

卜阿鹃的手已松开，突然从他怀里弹了出去，凌空翻了个身，箭一般扑向张洁洁，十指尖尖，在月下闪着光。

她好像恨不得一下子就将张洁洁的脸抓得稀烂。

无论会武功的女孩子也好，不会武功的女孩子也好，一打起架来，就好像总喜欢去抓别人的脸。

女人有时的确和猫一样，天生就喜欢抓人，天生就喜欢用指甲做武器。

楚留香倒真有点替张洁洁担心了。

他忽然发现卜阿鹃不但轻功很高，而且出手很快，很毒辣。

他本未想到，像卜阿鹃这样的女人，会使出这样毒辣的招式。

“也许女人在对付女人的时候，就会变得比较心狠手辣。”

张洁洁还在吃吃地笑。

眼看卜阿鹃的指甲已将抓到她脸上，她身子才忽然随着树干滑了上去，就像是一只狸猫，眨眼间就滑到树梢。

卜阿鹃脚尖点地，也跟着蹿了上去。

张洁洁娇笑着道：“这个女人好凶呀，香哥哥，你还不快来帮我的忙？”

她故意把“香哥哥”三个字叫得又甜蜜，又肉麻。

楚留香听得全身都起了鸡皮疙瘩。

卜阿鹃更听得火冒三丈高，冷笑道：“这个女人好不要脸，也不怕别人听了作呕。”

这句话还没有说完，她已攻出七招。

张洁洁一面躲避，一面还是在笑着道：“不要脸的人是我，还是你？你为什么一定要我的香哥哥非礼你？”

卜阿鹃连话都气得说不出了，只是铁青着脸，出的招式更毒辣。

张洁洁道：“其实你本来也该学学我的，你若也叫他香哥哥，他也许就会非礼你了。”

卜阿鹃怒道：“放你的屁。”

张洁洁笑道：“好臭。”

她一直在不停地闪避，似已连招架之力都没有，突然惊呼一声，转身就跑，嘴里还在大叫道：“这女人的爪子好厉害，若真抓破了我的脸，将来叫我怎么嫁得出去？”

她在前面跑，卜阿鹃就在后面追。

两个人的轻功都不弱，尤其是张洁洁。

楚留香几乎从未看过轻功比她更高的女人——连男人都很少。

他本来像是要追过去劝架，但想了想，还是停下了脚步。

两个女人打架的时候，男人唯一能做的事，就是站在那里不动，假如能忽然变得又聋又瞎，那更是明智之举。

风吹着木叶，连她们的声音都已听不到。

难道她们两个人全都溜了？

突然间，黑暗中有个人在低低地唱。

“两个女人打架去，只有一个能回来……你猜回来的是谁？”

楚留香想也不想，道：“张洁洁。”

果然是张洁洁，她身子一闪，已到了楚留香面前，媚笑道：“乖弟弟，你又叫姐姐干什么？”

楚留香叹了口气，道：“还是这句老话，你怎么也说不腻？”

张洁洁笑道：“我非但说不腻，也听不腻，你就算一天叫我八百声姐姐，我还是一样开心。”

她眨了眨眼，忽又问道：“你开心不开心？”

楚留香道：“我有什么好开心的？”

张洁洁道：“两个这么漂亮的女人为你打架，你难道还不开心？”

楚留香也眨了眨眼，道：“打死了没有？”

张洁洁道：“你放心，像那么一个标标致致的小姑娘，我也舍不得打死她的。”

楚留香道：“既然没有打死，到哪里去了？”

张洁洁忽然板起脸，道：“你问这做什么？是不是还在想她？想非礼她？”

楚留香道：“你以为我真是那样的人？”

张洁洁冷笑道：“你难道还是个好人不成？若不是我及时赶到，你们两个一个非礼来，一个非礼去，现场只怕早已非礼得一塌糊涂了。”

楚留香又叹了口气，苦笑道：“我真佩服你，这些话真亏你怎么说得出来的。”

张洁洁道：“一个女人吃醋的时候，再难听的话也一样说得出来。”

楚留香道：“你吃醋？”

张洁洁瞪眼道：“吃醋又怎么样？吃醋难道犯法？”

她自己也忍不住“扑哧”一声笑了，道：“其实你就算一定想非礼，也用不着去找她的。”

楚留香摸了摸鼻子，道：“我还能找谁？”

张洁洁眼波流动，悠悠道：“你至少还有一个人能找。”

楚留香道：“这人在哪里？”

张洁洁咬着嘴唇，道：“远在天边，近在眼前。”

楚留香看来就像是忽然变成了一个不折不扣的大笨蛋，眼睛也发了直，东张西望地找了半天，才皱着眉喃喃道：“奇怪我怎么看不到……”

张洁洁恨恨地瞪着他，忽然一个耳光掴了过去。

她出手实在快，快得令人躲不了。

但这次她却失手了，她的手已被楚留香捉住。

楚留香道：“你若真的想打我，出手就应该再快一点。”

张洁洁似笑非笑用眼角瞟着他，淡淡道：“你以为我真打不到你？你以为你真能抓我的手？”

楚留香道：“这难道不是你的手？”

张洁洁忽然也叹了口气，道：“呆子，你难道看不出这是我故意让你抓住的？”

楚留香道：“故意？为什么？”

张洁洁垂下了头，轻轻道："因为我喜欢你拉着我的手。"

她的声音又温柔，又甜蜜，在这静静的晚上，从她这么样一个人嘴里说出来，简直就像是世上最美丽的歌曲。

楚留香的心也开始融化了，就像是春风中的冰雪。

就在这时，张洁洁的手突然一翻，扣住了楚留香的腕子，另一只手立刻随着闪电般挥出，重重地向楚留香右脸上掴了过去。

她娇笑着道："这下子你……你总躲不掉了吧……"这句话并没有说完。

楚留香的心已融化，但手却没有融化，也不知道怎么样一来，张洁洁挥出来的手又被他捉住，本已扣住他腕子的手也被捉住。

张洁洁只觉得他一双手好像连半根骨头都没有。

楚留香微笑着，淡淡说道："这下子你还是没有打着。"

张洁洁恶狠狠地瞪着他，瞪了半天，目中渐渐有了笑意，终于咧嘴一笑，嫣然道："其实我根本就舍不得打你，你又何必紧张呢？"

这又证明一件事。

老实的女人不一定可爱，可爱的女人不一定老实。

只要你觉得她可爱，无论她说的话是真是假，你都应该相信的。

否则你就不是个聪明的男人，也不是个活得快乐的男人。

楚留香现在并不快乐。

因为他虽然很想相信张洁洁，却又实在很难相信。

张洁洁一直在盯着他，忽然道："看来你好像并不太信任我。"

楚留香笑了笑，道："我能信任你吗？"

张洁洁道："我害过你没有？"

楚留香道："没有。"

张洁洁道："我对你好不好？"

楚留香道："很好。"

张洁洁道："我没有害过你，又对你很好，你为什么不信任我？"

楚留香回答不出所问，所以他只有回答道："我不知道。"

天大的道理也说不过我不知道。

你就算说出一万种道理来，他还是不知道，你对他还有什么法子？

张洁洁叹了口气，苦笑道："原来你也是个不讲理的人。"

楚留香笑道："天下不讲理的人，本就很多，并不是只有我一个。"

张洁洁眼珠子转了转，道："你是不是觉得我来得很巧？"

楚留香道："的确很巧。"

张洁洁道："你想不出我怎么会找到你的？"

楚留香道："的确想不出。"

张洁洁道："好，我就告诉你，这只因我本就一直在暗中盯着你。"

楚留香道："哦？"

张洁洁道："我当然也并不知道你往那条路走，幸好有个人告诉了我。"

楚留香道："谁？"

张洁洁道："就是三岔路口上那又白又胖的小老板娘。"

她又在用眼角瞟楚留香，似笑非笑地，冷冷道："你一定又在奇怪她怎么还记得你，那只因她对你也很有意思，说你又英俊，又可爱，又有男子气，唯一的缺点就是出手不太大方，只给了人家两钱银子。"

楚留香又叹了口气，苦笑道："她现在已经对我这么有意思了，我若再给得多些，那怎么受得了？"

张洁洁冷笑道："为什么受不了？人家白白胖胖的，一脸福相，而且，又会做生意，又会生儿子，你说她有哪点不好？”

楚留香正色道：“其实她还有点最大的好处，你还不知道。”

张洁洁道：“哦？”

楚留香道：“她只卖酒，不卖醋。”

张洁洁道：“这也能算她的好处？”

楚留香道：“她若卖醋，醋坛子岂非早已被你打翻，连老本都要蚀光了？”

星更稀，夜已将尽。

张洁洁不知从哪里摘了朵小花，忽而衔在嘴里，忽而戴在耳朵上，忽而又拿在手里玩，好像忙极了。

她这人就好像永远都不会停下来的，不但手要动，嘴也要动，整个人不停地在动，没有事的时候也能找出件事来做做。

若要她闭上嘴，安安分分地坐一会儿，那简直要她的命。

楚留香愈来愈看不透她了。

有时她看来还像是个什么事都不懂的小孩子，但有时却又像是比最老的老狐狸还要机灵。

楚留香叹了口气，道：“现在我已知道你是怎么来的了，可是你来找我干什么？”

张洁洁瞪了他一眼，道：“别人都能来找你，我为什么不能？”

楚留香道：“别人来找我，那是想来要我的命，你呢？”

张洁洁道：“我不想要你的命，我还想留着你跟我斗嘴哩。”

楚留香苦笑道：“你来找我，就是为了要来跟我斗嘴的？”

张洁洁嫣然道：“我还没有那么大的毛病。”

她神色忽然变得很郑重，正色道：“我来找你，只为了要告诉你两个非常重要的消息。”

楚留香道："什么消息？"

张洁洁道："我已经打听出那老头子夫妻俩是什么人了。"

楚留香道："哦！"

张洁洁道："你还记不记得那老太婆手里总是提着样什么东西？"

"一杆秤。"

那老太婆就是用秤打她老公的。

楚留香眼睛亮了起来，动容道："我想起来了，衰公肥婆，秤不离砣。"

张洁洁笑道："不错，那老头子就是'秤'，老太婆就是'秤砣'，两人倒真是名副其实，你简直再找不出一个人比那老太婆更像秤砣的了。"

楚留香并没有笑。

因为他知道这夫妻两人名字虽可笑，长得也可笑，其实却是很可怕的人。

张洁洁道："据说这夫妻两人，本是岭南黑道中一等一的高手，而且手下还有股很庞大的恶势力，只不过十几年前忽然洗手不干，从此就再也没有人知道他们的消息，却不知道这次怎么会忽然出现的。"

楚留香道："想必是有人特地请他们出来杀我。"

张洁洁说道："你想是谁请他们出来的呢？能请得动这种洗手已久的黑道高手，这种人的面子倒真不小。"

她眼珠子转动着，忽又接着道："那头骡子的主人是谁，我也查出来了。"

楚留香道："是谁？"

张洁洁道："金四爷。"

楚留香皱眉道："金四爷又是何许人也？"

张洁洁道："金四爷就是金灵芝的四叔，也就是'万福万寿园'中最有权威的一个人，你既然去那里拜过寿，想必总见过这个人的。”

楚留香点点头，他不但见过这个人，而且印象还很深。

金四爷本就是个很容易让你留下深刻印象的人。

他身材并不十分高大，却极健壮，站在那里就像是一座山，无论谁都休想能将他扳倒。

楚留香甚至还记得他的相貌——一双很浓的眉，双目灼灼有光，留着很整齐的胡子，就是笑的时候，看来还是很有威严。

你随便怎么看，他都是个很正派的人。

楚留香沉吟着道：“你的意思是不是说，那夫妻两人就是他请出来的？要杀我的人也是他？”

张洁洁淡淡道：“我什么都没有说，只不过说那头骡子是他的。”

楚留香道：“你怎么知道？”

张洁洁笑了笑，道：“我当然有我的法子。”

楚留香道：“什么法子？”

张洁洁眨着眼，道：“那我就不能告诉你了。”

楚留香道：“为什么不能告诉我？”

张洁洁道：“因为我不高兴。”

天终于亮了。

他们终于已走出了山区地界，那匹马居然还在后面跟着。

有人说，狗和马都是人类最忠实的朋友，其实它们只不过都已养成了对人的依赖性而已，宁可做人的奴隶，也不敢去独立生存。

张洁洁眼珠子转动着，忽然笑道：“我辛辛苦苦赶来告诉你这些事，你该怎么谢我呢？”

楚留香道：“我不知道。”

他发现只有用这句话来对付张洁洁最好。

张洁洁笑道：“你不知道我知道。”

楚留香道：“你知道什么？”

张洁洁道：“我知道你是个小气鬼，真要你谢我，杀了你也不肯的，但我若要你请我喝杯酒，你总不该拒绝了吧。”

楚留香也笑了，道：“那也得看情形，看你喝得多不多，还得看那地方的酒贵不贵。”

张洁洁叹了口气，道：“幸好我知道有个地方，非但酒不贵，而且还有个又白又胖的老板娘，而且这老板娘还在一心想着你，看来你就算不给钱都没关系。”

楚留香忍不住又摸了摸鼻子，苦笑道：“你真要到那地方去？”

张洁洁道：“非去不可，我已去定了。”

还早得很，三岔路口上那个小酒摊却居然已摆了起来。

早上赶路的人本就比较多。

那愁眉苦脸的老板正在起火生炉子，弄得一身一脸都是煤烟。

那又白又胖的老板娘正铁青着脸在旁边监督着他，好像满肚子都是“下床气”，吓得她手里抱着的孩子连哭都不敢哭。

一看到楚留香，她的心花就开了，脸上也堆出了笑容，旁边牵着她衣角的孩子本已为了要吃卤蛋挨了顿揍，现在她已先将卤蛋塞到孩子嘴里，表示她是个很温柔的女人，很慈祥的母亲。

张洁洁用眼角瞟着楚留香，吃吃地笑。

楚留香只有装作看不见。

等老板娘去切菜倒酒的时候，张洁洁忽然附在他耳边，悄悄道：“我实在冤枉了她，她虽然很白，却一点也不胖。”

楚留香还是听不到。

张洁洁又道：“你看她的皮肤，嫩得就好像要沁出水来似的。我若是男人，不论她有没有丈夫，都要想法子把她弄到手的。”她愈说愈得意，好像还要说下去。

幸好酒菜已端上来了，老板娘甜甜地笑着道："今天的牛肉可真是刚卤好的，相公你尝尝就知道。"

张洁洁忽然道："你只请相公尝，姑娘我呢？"

老板娘瞪了她一眼，勉强笑道："相公先尝过了，姑娘再尝也不迟。"这句话还未说完，她已扭过了头，头还没有完全扭过去，脸已板了起来。

张洁洁伸了伸舌头，做了个鬼脸，悄悄笑道："原来她看我不顺眼，看来我还是走了的好，也免得惹人讨厌。"

她拿起杯酒一饮而尽，转身就走。

楚留香失声道："你真的要走？"

张洁洁道："我说过只喝你一杯酒的，喝多了岂非又要叫你心疼？"

她的人已蹿上了楚留香的马，打马就走，又吃吃地笑道："这匹马先借给我，下次见面时再还给你，你总不至于小气得连一匹马都不愿借给别人吧！"

这句话说完人和马都已去远。

楚留香本来要追的，却又停了下来。

他实在想不出为什么要去追人家的理由。

"我既没有害过你，又没有欠你的，你凭什么要来追我？"

他就算追上去，人家一句话也能把他挡回来。所以楚留香只有看着她去远，只有在那里发怔，苦笑。

只听那老板娘道："那位姑娘是不是有点毛病，怎么说起话来总是疯疯癫癫的？"

楚留香叹了口气，苦笑道："她没有什么毛病，有毛病的是我。"

老板娘手里摇着孩子，脸上带着春花般的笑容，眼睛瞟着楚留香，轻轻地咬着嘴唇，悄悄道："那么你遇见我可真是运气，我专会治你这种男人的毛病。"

楚留香摸了摸鼻子，忽然站起来。

他已对自己发过誓，只要看见女人对他笑，他就立刻走得远远的。

老板娘好像很吃惊，瞪大了眼睛，道："相公你连口酒都没喝，就要去了吗？"

楚留香板着脸，道："这酒是酸的。"

他正想转身，忽听老板娘大声道："等一等，我还有样东西给你。"喝声中，她忽然将怀里的孩子朝楚留香抛了过来。孩子"哇"的一声哭了。楚留香不由自主，已伸手将孩子接住。

就在这时，一旁蹲在地上起火的老板已箭一般蹿了过来。老板娘身子也已掠起。

她实在一点也不胖，身子轻盈如飞鸟。

楚留香手里抱着人家的孩子，下面又有张凳子挡住了他的脚。孩子哭得好伤心，他怎么能将一个正在哭着的婴儿甩开来？

楚留香当然不是那种人。所以他就倒了霉。

楚留香躺在那里，看来好像舒服得很。

这张床很软，枕头不高也不低，何况旁边还坐着个笑容如春花般的女人，正在喂他吃东西。

别人看到他现在的样子，一定会羡慕极了。

只有他自己一点也不羡慕自己，除了嘴还能动，鼻子还能呼吸外，他全身都已像块死木头似的，连一点感觉都没有。

那老板娘手里拿着杯酒，慢慢地倒入他嘴里，媚笑着道："这酒酸不酸？"

楚留香道："不酸。"

老板娘又夹了块牛肉道："这牛肉好吃不好吃？"

楚留香道："好吃。"

老板娘眼波流动，笑得更甜，道："我长得漂亮不漂亮？"

楚留香道："漂亮极了。"

老板娘咬着嘴唇，道："有多漂亮？"

楚留香道："比天仙还漂亮。"

老板娘道："比起那疯疯癫癫的小丫头呢？"

楚留香道："至少比她漂亮三万八千六百五十七倍多。"

老板娘道："有这么好的酒和牛肉吃，又有这么漂亮的女人陪着你，你还愁眉苦脸的干什么？"

楚留香叹了口气道："因为我害怕，怕你那愁眉苦脸的老板回来，把我卤在牛肉锅里。"

老板娘嫣然道："你放心，他不会回来了。"

楚留香道："为什么？"

老板娘道："因为我那老板本是借来用用的，现在已用过了，所以就还给了人家。"

楚留香道："难道连孩子也是借来的？"

老板娘道："当然也是借来的。"

她忽然拉开了衣襟，露出坚挺饱满的胸膛，道："你看我像是个生过孩子的女人吗？"

楚留香想闭起眼睛都不行，所以只有笑道："一点也不像。"

老板娘微笑道："你真有眼光，难怪有那么多女人喜欢你。"

她轻轻抚着楚留香瘦削的脸，柔声道："你什么都好，就只是太瘦了一点，若跟着我，我一定把你养得胖胖的。"

楚留香看着她的胸膛，实在不敢想她要用什么来养他。

老板娘眼波流动，忽然又道："你知不知道现在我要对你怎么样？”

楚留香道：“不知道。”

老板娘媚眼如丝，咬着嘴唇，道：“我要将你当作我的儿子。”

楚留香笑了——你可以说他是在笑，也可以说他是在哭。

有种笑本来就和哭差不多。

他的手若还能动，一定又忍不住要摸鼻子了。

老板娘看着他的脸上的表情，笑得更开心，道：“你知道天下最愉快的事，就是做人家的儿子。”

楚留香道：“我有个朋友不是这么样说的。”

老板娘道：“他怎么说？”

楚留香道：“他总是说，天下最愉快的事，就是喝酒。”

老板娘道：“你的朋友一定比笨猪还笨，要知道喝酒虽然愉快，但头一天喝得愈愉快，第二天也就愈难受。”

楚留香道：“难受还可以再喝。”

老板娘道：“愈喝愈难受。”

楚留香道：“愈难受愈喝。”

老板娘道：“哪有这么多酒给你喝？”

楚留香道：“去买来喝。”

老板娘道：“用什么去买？”

楚留香道：“用钱买。”

老板娘道：“钱由哪里来呢？”

楚留香道：“赚钱的法子很多。”

老板娘道：“赚钱的法子虽然多，但总免不了要费点力气，花点脑筋，就算你去偷，去抢，也并不是件容易事。”

楚留香只有承认，不费力就可以赚钱的法子，到现在还没有想出来过。

老板娘道："但你先做人家的儿子，就什么事都不用发愁了，钱来伸手，饭来张口，样样东西都有你爹娘去替你拼命赚来，还生怕不合你的意，你想天下哪有比这更愉快的事？"

楚留香叹了口气，道："的确没有了。"

老板娘嫣然笑道："你既然已明白，为什么还要摆出愁眉苦脸的样子，难道从来没有人要你做他的儿子？"

楚留香苦笑道："这倒还真是平生第一次。"

他说的是实话。

有人想做他的朋友，有人想做他的情人，也有人将他当作势不两立的大对头。

但想要他做儿子的人，倒还真的连一个都没有。

他做梦也想不到世上会有这种人。

老板娘眼波流动，道："你知不知道我为什么要你做我的儿子？"

楚留香道："不知道。"

老板娘低下头，附在他耳畔，轻轻道："我想喂奶给你吃。"

楚留香苦笑道："这原因你若不说出来，我一辈子也猜不出来。"

老板娘咬着嘴唇，道："你怎么会猜不出来？每个人到了我这种年纪，都会想要个儿子的。"

楚留香瞪瞪眼，道："你费了那么多力气，为的就是想要我做你的儿子？"

老板娘道："本来不是的。"

楚留香道："本来你想要的是什么？"

老板娘道："要你的命。"

楚留香道："是你想要我的命，还是别人？"

老板娘道："当然是别人，我跟你又无冤，又无仇，为什么要你的命？"

楚留香叹道："原来你不是真的老板娘，也是别人的小伙计。"

老板娘瞪眼道："谁说我是别人的小伙计？"

楚留香道："若不是别人的小伙计，为什么要替别人做事？"

老板娘道："我只不过是帮他的忙而已。"

楚留香道："帮谁的忙？"

老板娘眼珠转了转，道："一个朋友。"

楚留香道："你肯为了朋友杀人？杀一个无冤无仇的人？"

他又叹了口气，喃喃地道："我看他一定不是你的朋友，一定是你的老子，有你这么聪明的女儿倒不错，连我都想做你的老子了。"

老板娘板起了脸，道："我说的话你不信？"

楚留香道："我没法子相信。"

老板娘道："为什么不信？"

楚留香道："没有人会替朋友帮这种忙的，杀人并不是件好玩的事。"

老板娘道："他并没有要我杀你。"

楚留香道："他要你怎么样？"

老板娘道："他要我把你捉住送到他那里去，活着送去。"

楚留香目光闪动，道："你为什么不送去？"

老板娘气已消了，柔声道："我怎么舍得把你送给别人？"

楚留香道："但你已答应了别人。"

老板娘道："那只因为我还没有看见过你，还不知道你长得这么可爱。"

她伸出手，轻抚着楚留香的脸，柔声道："一个女人为了她喜欢的男人，连亲生的爹娘都可以不要，何况朋友？"

她的手又白又嫩，长得也不算难看。

但楚留香想起她切牛肉的样子，似乎又嗅到了牛肉的味道，简直恨不得马上就去洗个澡。

牛肉虽然很香，很好吃。

但一个女人的手上若有牛肉味道，那就令人吃不消了。

楚留香叹了口气，道："现在你是不是准备把我留在这里？"

老板娘道："我要留你一辈子。"

楚留香道："你不怕那朋友来找你算账？"

老板娘道："他不会找到这里来的。"

楚留香道："为什么？"

老板娘媚笑道："这里是我藏娇的金屋，谁也不知道我有这么样个地方。"

楚留香道："但是，我们总不能一辈子就待在这屋子里。"

老板娘道："谁说不能，我就要你一辈子留在这屋子里，免得被别的女人看见。"

楚留香道："我若想出去逛逛呢？"

老板娘道："你出不去。"

楚留香道："你……你总不能让我就这样一辈子躺在床上吧？"

老板娘笑道："为什么不能？一个女人为了她喜欢的男人，是什么事都做得出的。"

楚留香长长叹息了一声，道："这样子看来，你是决心不把我送去的了。"

老板娘嫣然道："从第一眼看见你的时候，我就已下了这决心。"

她轻轻咬了咬楚留香的鼻子，柔声道："只要你乖乖地待在这里，包你有吃有喝，比做什么人的儿子都舒服。"

楚留香怔了一会儿，忽然道："这里离你那朋友住的地方远不远？"

老板娘道："你为什么要问？"

楚留香道："我只怕他万一找来。"

老板娘咬着嘴唇道："他若万一找来，我就先一刀杀了你。"

楚留香道："杀了我？为什么？"

老板娘道："我宁可杀了你，也不能让你落在别的女人手上。"

楚留香道："你那朋友是个女人？"

老板娘道："嗯。"

楚留香道："是个什么样的女人？长得像个什么样子？"

老板娘瞪眼道："你最好不要问得太清楚，免得我吃醋。"

楚留香道："但她千方百计地要杀我，我至少总该知道她是谁吧！"

老板娘道："你不必知道，因为知道了也对你没好处。"

楚留香道："你一定不肯告诉我？"

老板娘眼珠一转，道："过一阵子，也许我会告诉你。"

楚留香道："过多久？"

老板娘道："等我高兴的时候，也许三天五天，也许一年半年。"

她娇笑着，又道："反正你已准备在这里待一辈子，还急什么？"

楚留香又怔了一会儿，喃喃道："看样子我留在这里也没用了。"

老板娘道："你说什么？"

楚留香道："我说我已该走了。"

老板娘笑道："你走得了吗？"

楚留香道："我就试试看。"

忽然间，他一下子就从床上爬了起来。

老板娘就像是忽然看到个死人复活般，整个人都呆住了。

楚留香微笑道："看来我好像还能走。"

老板娘瞪大了眼睛，张大了嘴，吃吃道："你……你明明已被我点住了穴道！"

楚留香悠然道："这也许因为你点穴的功夫还不到家，也许因为你舍不得下手太重。"

老板娘道："原来你……你刚才都是在做戏？"

楚留香笑道："只有你能做戏，我为什么不能？"

老板娘道："可是……可是你既然没有被我制住，为什么还要跟我来呢？"

楚留香道："因为我喜欢你。"

这次他没有说实话。

他这么样做，只不过是为了要见见那在暗中主使要杀他的人。

他本已算计这老板娘会送他去的。

老板娘咬着嘴唇，道："你既然喜欢我，现在为什么又要走？"

楚留香淡淡道："因为你切了牛肉不洗手，我不喜欢手上有牛肉味道的女人。"

老板娘涨红了脸，气得连话都说不出来。

楚留香道："我也不喜欢赤着脚走路，我的鞋子呢，去替我拿来。"

老板娘瞪着他，脸上一阵青，一阵红，终于还是替他拿了双鞋子来。

楚留香抬起脚，道："替我穿上。"

老板娘咬着牙，替他穿上鞋子。

有人说：好汉不吃眼前亏。

这句话其实说得并不对，真正不肯吃眼前亏的，不是好汉，是女人。

楚留香慢慢地从床上跳下来，穿好了衣裳，扯直。

老板娘忍不住问道："你既然要走，为什么还不快走？"

楚留香笑道："现在你为什么又要赶我走了呢？你怕什么？"

老板娘咬着嘴唇不说话。

楚留香道："你是不是怕我逼你说出那朋友的名字？"

老板娘又白又嫩的一张脸，已有点发青。

楚留香笑了，道："你放心，只有最可恶的男人，才会对一个替他穿鞋子的女人用蛮力的，我至少还不是那种男人。"

老板娘怔了半晌，忽又嫣然一笑，道："想不到你是个这么好的男人。"

楚留香道："我本来就是好人里面挑出来的。"

老板娘笑得更甜，道："现在你若是愿意做我儿子，我还是愿意收你。"

这次轮到楚留香怔住了。

他忽然发现好人实在做不得，尤其在女人面前做不得。

女人最擅长的本事，就是欺负老实人，欺负好人。

有的女人你对她愈好，她愈想欺负你，你若凶些，她反而老实了。

老板娘盈盈站起来，好像又准备来摸楚留香的脸。

楚留香这次已决心要给她个教训了。

谁知就在这时，窗外突然传来了一片惊呼——七八个男人的惊呼。

接着，就是七八件兵刃落地的声音。

楚留香立刻箭一般穿出窗子。

外面的庭园很美，很幽静。

但无论多美的庭园中，若是躺着七八个满脸流血的大汉，也不会太美了。

掉在地上的也不是兵刃，是七八件制作得很精巧的弩匣。

这种弩匣发出的弩箭，有时甚至比高手发出的暗器还霸道。

这些大汉是哪里来的？想用弩箭来对付谁？

现在又怎么忽然被人打在地上了？

是谁下的手？

楚留香蹲下去，提起了一条大汉。

这人满脸横肉，无论谁都看得出来他绝不会是个好人。

何况，就算是样子很好看的人，若是满脸流血，也不好看了。

血是从他眼下承泣穴中流下来的。

所以他不但在流血，还在流泪。

血泪中有银光闪动，好像是根针，却比针更细，更小。

再看别人的伤痕，也全都一样。

惨叫声也是同时响起的。

显然这一群人是在同一瞬间被击倒。

发暗器的人，竟能在同一瞬间，用如此细小的暗器击倒七个人，而且认穴之准，不差分毫！

楚留香站起来，长长吐出口气。

暗器手法如此高明的人，世上就只有一个，这人会是谁呢？

他想不出来。

他正准备不再去想的时候，就看到一样东西从前面大树的浓荫中掉下来。

掉下来的是个荔枝的壳子。

楚留香抬起头，就看到一个穿着黄色轻衫的少女，正坐在浓荫深处的树枝上，手里还提着串荔枝。

他用不着再看她的脸，也已知道她是谁了。

张洁洁。为什么这女孩子总好像随时随地都会在他面前出现呢？

树上是不是有黄莺在轻啼？

不是黄莺，是张洁洁的笑声。

她笑声清脆，如出谷黄莺，那双新月般的眼睛，笑起来的时候，就好像有一抹淡淡的雾，淡淡的云。

她忽然又在这里出现了，楚留香应该觉得很意外，很惊奇。奇怪的是，现在他心里只觉得很欢喜。

无论在什么时候看到她，他都觉得很惊奇。

张洁洁刚吐出一粒荔枝的核子，甜笑着向楚留香道："想不想吃颗荔枝？这还是我刚托人从济南快马运来的哩。"

楚留香叹了口气，道："你为什么不姓杨？"

张洁洁噘起了嘴，娇嗔道："难道只有杨贵妃才能吃荔枝，我就不能吃？我哪点比不上她？"

楚留香忍不住笑出了声，道："你至少比她苗条一点。"

张洁洁道："也比她年轻得多。"

她的手一扬，就有样亮晶晶的东西朝楚留香飞了过来。是颗剥了壳的荔枝。

楚留香没有伸手，只张开了嘴。

荔枝恰巧落在他嘴里。

张洁洁吃吃笑道："好吃不好吃？"

楚留香嘴里嚼着荔枝，喃喃道："纤手剥荔枝，难吃也好吃。"

张洁洁瞪瞪眼道："你不怕这荔枝有毒？"

楚留香道："不怕。"

他吐出了荔枝的核子，笑道："就算真的有毒，现在已来不及了，我已经吃了吐不出。"

张洁洁道："你真的不怕？"

楚留香道："真的。"

张洁洁道："你想不想我告诉你一件事？"

楚留香道："想。"

张洁洁道："好，那我告诉你，这荔枝不但有毒，而且毒得厉害。"

她笑得更甜更美，一双穿着绣鞋的小脚在树上摇荡着，就好像万绿丛中的一双火鸟。

她甜笑着，接道："你不该忘了我也是个女人，更不该忘了你现在还走着要命的桃花运。"

第五章

花非花　雾非雾

一个人如听说自己中了毒之后，会有什么样的反应呢？

各种人有各种不同的反应。

有的人会吓得浑身发抖，面无人色，连救命都叫不出。

有的人会立刻跪下来叫救命，求饶命。

有的人会紧张得呕吐，连隔夜饭都可能吐出来。

有的人一点也不紧张，只是怀疑，冷笑，用话去试探。

有的人连一句话一个字都懒得说，冲过去就动手，不管是真中毒也好，假中毒也好，先把你揍个半死再说别的。

但也有的人竟会完全没有反应，连一点反应都没有。

所以你也看不出他到底是相信还是不信，是恐惧还是愤怒。

这种人当然最难对付。

楚留香当然是最难对付的那种人。

所以他根本连一点反应都没有，只不过有点发怔的样子。

看着张洁洁那双摇来荡去的脚发怔。

在女人中，张洁洁无疑可算是个非常沉得住气的女人。

她已等了很久，等着楚留香的反应。

但现在她毕竟还是沉不住气了。

她忍不住问："我说的话你听见了没有？"

楚留香点点头，一副心不在焉的样子。

张洁洁道："既然听见了，你想怎么样？"

楚留香道："我正在想……"

张洁洁道："想什么？"

楚留香道："我在想——假如你现在赤着脚，一定更好看得多。"

张洁洁的脚不摇了。

她忽然跳起来，站在树枝上，忽然又从树枝上跳下来，站在楚留香面前，瞪着楚留香。

她就算在瞪着别人的时候，那双眼睛还是弯弯的，小小的，像是一钩新月。

就算在生气的时候，眼睛里还是弥漫着一层花一般、雾一般的笑意，叫人既不会对她害怕，也不会对她发脾气。

楚留香现在不看她的脚了。

楚留香在看着她的眼睛——看着她的眼睛发怔。

张洁洁咬着嘴唇，大声道："我告诉你，你已中了毒，而且是种很厉害的毒，你却在想我的脚……你……你……究竟是个人，还是头猪？"

楚留香道："人。"

他回答轻快极了，然后才接着道："所以我还想了些别的事。"

张洁洁道："想什么？"

楚留香道："我在想，你的脚是不是也和眼睛一样漂亮呢？"

他看着她的眼睛，很正经的样子，接着道："你知道，眼睛好看的女人，脚并不一定很好看的。"

张洁洁的脸没有红。

她并不是那种容易脸红的女孩子。

她也在看着楚留香的眼睛，一脸很正经的样子，缓缓地说："以后我绝不会再问，你是个人，还是头猪了。”

楚留香道：“哦！”

张洁洁道：“因为我已发觉你不是个人，无论你是个什么样的东西，但绝不是个人。”

楚留香道：“哦？”

张洁洁恨恨地道：“天底下绝没有你这种人，听说自己中了毒，居然还敢吃人家的豆腐。”

楚留香忽然笑了笑，问道：“你可知道是为了什么？”

张洁洁道：“不知道。”

楚留香道：“这只因为我知道，那荔枝上绝不会有毒。”

张洁洁道：“你知道个屁。”

她冷笑着，又道：“你是不是自己以为自己对毒药很内行，无论什么样的毒药，一到你嘴里你就立刻能感觉得到？”

楚留香道：“不是。”

张洁洁道：“那你凭了什么敢说那荔枝上绝不会有毒？”

楚留香道：“只凭一点。”

张洁洁道：“哪点？”

楚留香看着她，微笑着道：“也许我什么都不懂，什么都不知道，但一个人对我是好是坏，我总是知道的。”

他眼睛好像也多了层云一般、雾一般的笑意，声音也变得比云雾更轻柔。

他慢慢地接着道：“就凭这一点，我就知道那荔枝没有毒，因为你绝不会下毒来毒我的。”

张洁洁想板起脸。

可是她的眼睛却眯了起来，鼻子也轻轻皱了起来。

世上很少有人能懂得，一个女孩子笑的时候皱鼻子，那样子有多么可爱。

假如你也不懂，那么我劝你，赶快去找个会这样笑的女孩子，让她笑给你看看。

荔枝掉了下去。

张洁洁的心轻飘飘的，手也轻飘飘的，好像连荔枝都拿不住了。

她慢慢地垂下了头，柔声道："我真想不到……"

楚留香道："想不到？"

张洁洁又抬起头，看着他，道："我想不到你这人居然还懂得好歹。"

现在她的眼睛既不像花，也不像雾，更不像一弯新月。

因为世上绝没有那么动人的花，那么可爱的雾，那么动人的月色。

楚留香走过去，走得很近。

近得几乎已可闻到她的芬芳的呼吸。

假如有这么样一个女孩子，用这么样的眼色看着你，你还不走过去，你就一定已断了两条腿，而且是断了两条腿的呆瞎子。

因为你假如不瞎又不呆，就算断了腿，爬也要爬过去的。

楚留香走过去，轻轻托她的下巴，柔情道："我当然知道，你到这里来，就是为了要帮我的忙击倒这些人，也是为了救我，若连这点都不知道，我岂非真的是个猪了。"

张洁洁的眼帘慢慢合起。

她没有说话，因为她已不必说话。

当你托起一个女孩子下巴时，她若闭起了眼睛，哪个人都应该懂得她的意思。

楚留香的头低了下去，嘴唇也低了下去。

但他的唇，并没有去找她的唇。他凑在她耳畔，轻轻道："何况我另外还知道一件事。”

张洁洁道：“嗯……”

这次她没有用眼睛说话，也没有用嘴。

她用的是鼻子。

女孩子用鼻子说话的时候，往往比用眼睛说话更迷人。

楚留香道：“我知道像你这样的女孩子，就算要杀我，也会选个比较古怪，而比较特别的法子——是也不是？”

张洁洁开口了。

她开口并不是为了说话，是为了咬人。

她一口向楚留香的耳朵咬了下去。

天下有很多奇怪的事。

人身上能说话的，本来是嘴。

但有经验的男人都知道，女人用眼睛说话也好，用鼻子说话也好，用手和腿说话也好，都比用嘴说话可爱。

嘴本来是说话的。

但也有很多男人认为，女人用嘴咬人的时候，也比她用来说话可爱。他倒宁可被她咬一口，也不愿听她说话。

所以聪明的女人都应该懂得一件事——

在男人面前最好少开口说话。

张洁洁没有咬到。

她张开嘴的时候，就发现楚留香已经从她面前溜开了。

等她张开眼睛，楚留香已掠入了窗子。

他好像还没有忘记那老板娘，还想看看她。

但老板娘却已看不见他了。

又白又嫩的老板娘，现在全身都已变成黑紫色，紧紧闭着眼睛，紧紧咬着牙，嘴里还含着样东西。

她显然是被人毒死的。

被什么毒死的呢？

楚留香想法子掰开她的嘴，就有样东西从她嘴里掉了下来。

一颗荔枝。

后面衣袂带风的声音在响。

楚留香转过身，瞪着刚穿入窗子的张洁洁。

张洁洁脸上也带着吃惊的表情，道："你瞪着我干什么？难道以为是我杀了她？"

楚留香还是瞪着她。

张洁洁冷笑道："像这种重色轻友的女人，虽然死一个少一个，但我却没有杀她——她根本还不值得我动手。"

楚留香忽然叹了口气，道："我知道你没有杀她，她死的时候，你还在外面跟我说话。"

张洁洁冷冷道："你明白最好，不明白也没关系，反正我根本不在乎，连一点都不在乎。"

这当然是气话。

女孩子说完了气话，往往只有一个动作——说完了扭头就走。

楚留香早已准备到了。

张洁洁一扭头，就看到楚留香还站在她面前。

刚好站在她眼睛前面。

张洁洁却偏偏有本事不用眼睛看他，冷笑道："好狗不挡路，你挡住我的路干什么？"

楚留香道："因为你不在乎，我在乎。"

张洁洁道："你在乎什么？"

楚留香道："在乎你。"

张洁洁眨了眨眼珠子，眼睛里的冰已渐渐开始在解冻了。

楚留香道："因为我知道你是为我而来的，可是你怎么会知道我在这里的呢？你……"

张洁洁忽然打断了他的话，大声道："原来你并不是真的在乎我，只不过怀疑我，怀疑我是不是跟他们串通的，若非如此，就算我死了，你也绝不会在乎。"

这可是气话。

所以张洁洁说完了后，立刻扭头就走。

这次她走得快多了。

她真的要走的时候，连楚留香都拦不住。

楚留香追出去时，已看不见她的人——只看到刚才躺在地上的七八个人。

这七八个人刚才虽然在满脸流血，但总算还是活着的。

现在他们脸上好像已没有血了，人却已死了。

因为他们的脸，已变成紫黑色的，连血色都已分不清。

楚留香握紧双拳，脸色也变成紫色的。

那表示他已愤怒到极点。

他痛恨杀人，痛恨暴力。

他也在痛恨自己的疏忽，刚才他本可以将这些人的穴道解开的。

那么现在这些人也许就不会死了。

现在他觉得这些人简直就好像死在他自己手上的一样。

他甚至连手都在发抖。

一只手从后面伸了过来，雾般轻柔的声音立刻在他耳畔响起："你的手好冷。"

楚留香的手真冷，而且还在流着汗。

这样的手，正需要一个女人将它轻轻握住。

可是他甩脱了她的手。

这也许是楚留香第一次甩脱女人的手。

张洁洁垂下头，居然没有生气，也没有走，声音反而更温柔。

“这些人只不过是最低级的打手，为了二十两银子就可以杀人的，他们死了，你为什么这么难受？”

楚留香突然扭过头，瞪着她，一字字说道：“不错，这些人都很卑贱，但你最好不要忘记，他们也是人！”

张洁洁道：“可是……可是人也有很多种，像他们这种人……”

楚留香道：“像他们这种人，死了当然不值得同情，但他们难道没有他们的亲人，他们的妻子？那些人呢，是不是无辜的？”

张洁洁不说话了。

楚留香道：“所以下次你要杀人的时候，就算这人真的该杀，你也最好多想一想，想想那些无辜的，那些要依靠他们生活的人，他们死了后，那些存活者多么悲惨，心里会多么难受。”

张洁洁垂下头。

她虽然垂下头，但楚留香还是可以看到她的眼睛。

那双仿佛永远都带着笑意的眼睛里，现在竟已泪珠盈眶。

没有泪流下。

只有一层珠光般的泪光。

楚留香是个有原则的人，他尊重有原则的人。

他尊重别人的原则，正如尊重自己的原则一样。

对女孩子，他当然也有原则。

他绝不和任何女孩子争辩，绝不伤害任何女孩子的自尊。

他不喜欢板起脸来教训别人，更不愿板起脸来对付女孩子。

因为他觉得带着微笑的劝告，远比板起脸来的教训有用得多。

可是今天他忽然发现他自己竟违背了自己的原则。

在他说来，这简直是件不可思议的事。

这是不是因为他已没有将她当作一个女孩子？是不是因为他已将她当作自己一个很知心的朋友，很亲近的人？

人，只有在自己最亲密的朋友面前，才最容易做出错事。

因为只有这种时候，他的心情才会完全放松，不但忘了对别人的警戒，也忘了对自己的警戒。

尤其是在自己的情人面前，每个男人都会很容易地就忘去一切，甚至会变成个孩子。

“难道我真的已将她当作我的知己，我的情人？”

“为什么我在她面前，总是容易说错话，做错事，连判断都会发生错误？”

“我为什么会这样做？我对她的了解又有多少？”

楚留香看着张洁洁，看着她的眼睛。

这双眼睛笑的时候固然可爱，悲哀的时候却更令人心动。

那就像一钩弯弯的新月，突然被一抹淡淡的云雾掩住。

但除了这一点外，楚留香对她所有的一切，几乎都完全不知道。

“我甚至连她的脚好不好看都不知道。”

楚留香摸了摸鼻子，苦笑着。

他以前也看过她哭。

但那次不同。

那次她的哭，还带着几分使气，几分撒娇。

这次楚留香却看得出她是真的悲哀，真的感动。

他忽然发现这野马般的女孩子，也有她温柔善良的一面。

到现在为止，也许他只能知道她这一点。

但这一点已足够。

杨柳岸。

月光轻柔。

张洁洁挽着楚留香的手，漫步在长而直的堤岸上。

轻涛拍打着长堤，轻得就好像张洁洁的发丝。

她解开了束发的缎带，让晚风吹乱她的头发，吻在楚留香面颊上，脖子上。

发丝轻柔，轻得就像是堤下的浪涛。

苍穹清洁，只有明月，没有别的。

楚留香心里也没有别的，只有一点轻轻的，淡淡的，甜甜的惆怅。

人只有在自己感觉最幸福的时候，才会有这种奇异的惆怅。

这又是为了什么呢？

张洁洁忽然道："你知不知道我最喜欢的一句词是什么？"

楚留香道："你说。"

张洁洁道："你猜！"

楚留香抬起头，柳丝正在风中轻舞，月色苍白，长堤苍白。

轻涛拍奏如弦曲。

楚留香情不自禁，曼声低吟。

"今宵酒醒何处，杨柳岸，晓风残月。"

张洁洁的手忽然握紧，人也倚在他肩畔。

她没有说什么。她什么都不必再说。

两个人若是心意相通，又何必再说别的？

"今宵酒醒何处，杨柳岸，晓风残月。"

这是何等意境，何等洒脱！又是多么凄凉，多么寂寞！

楚留香认得过很多女孩子，他爱过她们，也了解过她们。

但也不知为了什么，他只有和张洁洁在一起的时候，才能真正领略到这种意境的滋味。

一个人和自己最知心的人相处时，往往也会感觉到有种凄凉的寂寞。

但那并不是真正的凄凉，真正的寂寞。

那只不过是对人生的一种奇异感觉，一个人只有存在已领受到最美境界时，才会有这种感受。

那种意境也正和“念天地之悠悠，独怆然而涕下”相同。

那不是悲哀，不是寂寞。

那只是美！

美得令人魂销，美得令人意消。

一个人若从未领略过这种意境，他的人生才真正是寂寞。

长堤已尽。

无论多长的路，都有走完的时候。

路若已走完，是不是就已到了该分手的时候？

楚留香轻轻叹了口气，近乎耳语道：“你是不是又要走了？”

张洁洁垂着头，咬着嘴唇，道：“你呢？”

楚留香道：“我……”

张洁洁道：“你总有你该去的地方。”

楚留香道：“我有……每个人都有。”

张洁洁道：“可是你从来没有问过我，问我是从哪里来的，问我要到哪里去。”

楚留香道：“我没有问过。”

他一向很少问。

因为他总觉得，那件事若是别人愿意说的，根本不必他问。

否则他又何必问？

张洁洁道："你只问过我，那只手的主人是谁？人在哪里？"

楚留香点点头。

张洁洁道："可是……可是你今天为什么没有问呢？"

楚留香道："我既已问过，又何必再问？"

张洁洁道："你以为我不会说？"

楚留香苦笑道："你若愿意说，又何必要我问。"

张洁洁道："那也许只因为连我自己以前都不知道。"

楚留香笑了笑，淡淡道："无论如何，我却已不想再问了。"

张洁洁眨眨眼，道："为什么？"

楚留香道："我以前在偶然间见到你时，的确是想从你身上打听出一点消息来的，所以我才问，但是现在……"

张洁洁道："现在呢？"

楚留香道："现在……现在我见到你，只不过是想跟你在一起，再也没有别的。"

张洁洁仰起头，凝视着他，眼波如醉。她的身子在轻颤。

是为了这堤上的冷风，还是为了她心里的热情？

她忽然倒在楚留香怀里。

杨柳岸。

夜已将残，月已将残。

张洁洁坐起，轻抚边鬓的乱发。

楚留香的胸膛宽阔。

他的胸膛里究竟能容纳下多少爱，多少恨？

张洁洁伏在他胸膛上，良久良久，忽然道："起来，我带你到个地方去。”

楚留香道：“哪里去？”

张洁洁道：“一个好地方。”

楚留香道：“去干什么？”

张洁洁道：“去找一个人。”

楚留香道：“找谁？”

张洁洁眼波流动，一个字一个字地慢慢道：“那只手的主人！”

女孩子们都很妙，的确很妙。

你若逼着要问她一句话的时候，她就是偏偏不说，死也不说。

你若不问时，她也许反而一定要告诉你。

高墙。

墙高得连红杏都探不出头来。明月仿佛就在墙头。

楚留香道：“你就是要带我到这里来？”

张洁洁道：“嗯。”

楚留香道：“这里是什么地方？”

张洁洁没有回答，反而问道：“这道墙你能不能上得去？”

楚留香笑了笑，道：“天下还没有上不去的墙。”

张洁洁道：“那么你就上去。”

楚留香道：“然后呢？”

张洁洁道：“然后再跳下去。”

楚留香道：“跳下去之后呢？”

张洁洁道：“墙下面有条小路，是用雨花台的采石铺成的。”

楚留香道：“好豪华的路。”

张洁洁道：“你若不敢用脚走，用手也行，无论你怎么走，走到尽头，就会看到一片花林，好像是桃花，花林里有间屋子。”

楚留香道：“然后呢？”

张洁洁道：“你走进那屋子，就可以找到你想找的那个人了。”

楚留香道：“就这么简单？”

张洁洁道：“就这么简单。”

她嫣然一笑，又道：“天下事就是这样子的，看来愈复杂的事，其实却往往简单得很。”

楚留香道：“你至少应该告诉我，这究竟是个什么样的地方？那屋子里究竟是个怎么样的人？”

张洁洁道：“你既然很快就会知道，又何必要我说！”

楚留香道：“但你又怎么会知道呢？又怎么会知道那人一定在屋子里？”

张洁洁不说话了。

楚留香叹了口气，苦笑道：“我早就知道，我若要问你，你一定不肯说的。”

张洁洁抬起头，瞪着他，道：“你是不是也早就知道，你若故意不问，我反而告诉你了！”

楚留香忽然在咳嗽。

张洁洁瞪着他，忽然拉起他的手重重咬了一口，整个人都跳了起来，凌空一个翻身人已在四五丈外。“你简直不是人，是头猪，死猪，死不要脸的大活猪！”

她骂声还在楚留香耳里，人却已不见了。

高墙，好高的墙。

但天下哪里还有楚留香上不去的墙？

楚留香站在墙头，被晚风一吹，人才清醒了些。但心里却还是乱糟糟的，也不知是什么滋味。

张洁洁她究竟是个怎么样的女孩子，他实在无法了解。

但现在绝不是想这些事的时候。

楚留香勉强使自己冷静下来，他知道自己现在若不能冷静，也许就永远无法冷静了。

庭园深沉，虽然有几点灯光点缀在其间，看来还是一片黑暗。

“上了墙头，就跳下去。”

但下面究竟是个什么样的地方呢？

黑暗中究竟有什么在等着他？

楚留香不知道，可是他决心要冒险试一试。

他跳了下去！

第六章

断魂夜　断肠人

一个人若要往上爬，就得要吃苦，要流汗。可是等他爬上去之后，就会发觉他无论吃多少苦，无论流多少汗，都是值得的。

若要往下跳，就容易多了。

无论从哪里往下跳都很容易，而且往下坠落时那种感觉，通常都带着种罪恶的愉快。

直到他落下去之后，他才会后悔。

因为下面很可能是个泥沼，是个陷阱，甚至是个火坑。

那时他非但要吃更多苦，流更多汗，有时甚至要流血！

楚留香从高墙上跳了下去。他并没有流血，却已开始后悔。

刚才在高墙上，他本已将这地方的环境，看得很清楚。

现在他才发觉自己到了个完全陌生的地方。

刚才他可以看得很远，这园子里每一丛花每一棵树，本都在他眼下。

但现在他却忽然发现，刚才看起来很瘦小的花木都比他的人高些，几乎已完全挡住了他视线。

假如有个人就站在他前面的花树后，他都未必能看得见。

一个人在高处时，总是比较看得远些，看得清楚些，但一等到他开始往下落时，他就往往会变得什么都看不清了。

这或许也正是他往下落的原因。

“花林中的小轩，人就在那里。”

楚留香总算还记住了那方向，现在他的人既已到了这里，就只有往那方向去走。

只有先走一步，算一步。

因为他根本无法预料到这件事的结果，对这件事应有的发展和变化，他都完全不能控制。

“这里究竟是什么地方？”

“那个人究竟是谁？”

他连一点边都猜不出来。

晚风中带着幽雅的花香，楚留香摸了摸鼻子，忽然觉得自己很可笑。

他本不是如此鲁莽、如此大意的人，怎么会做出这种事来呢？

是不是他太信任张洁洁了？

可是他为什么要如此信任一个女人呢？

这连他自己也不知道。

张洁洁根本就没有做过一件能值得他完全信任的事情。

庭园深深。

风吹在木叶上，簌簌地响，衬得山下更幽静，更神秘。

楚留香虽觉得这件事做得很可笑，但心里同时也觉得有种神秘的紧张和刺激。

就如同一个人突然接到份神秘的礼物，正要打开它看的时候。

他既不知道这礼物是谁送来的，也猜不出送来的是什么。

所以他非打开来看看不可。

那里面很可能是条杀人的毒蛇，也很可能是件他最希望能得到的东西。

这种事虽然冒险，但也的确是种新奇的刺激。

楚留香本就是个喜欢冒险的人。

是不是因为张洁洁已经很了解他，所以才故意用这种法子令他上当呢？

花林中的确有几间精致的小轩。

小轩在九曲桥上。

青石桥在夜色中看来，晶莹如玉。

窗子里还有灯，灯光是紫红色的。

屋里的人是不是已算准了楚留香要来，所以在如此深夜里，还在等着他？

在等着他的，难道又是个女人？

楚留香还不能确定。

现在他只能确定，这桥上绝对没有埋伏，也没有陷阱。

所以他走了上去。

直走到门外，他才停下来。

他本不必停下来。

既已到了这里，到了这种情况，是本可一脚踢开门闯进去。

或许先一脚踢开这扇门，再踢开另一扇窗子然后闯进去。

或许先用指甲蘸些口水，在窗纸上点破个月牙小洞，看看屋子里的情形。

别的人在这种情况下，都会用这几种法子的。

但楚留香不是别的人。

楚留香做事有他自己独特的法子。

他虽然也偷，偷各种东西，甚至偷香，但他用的却是最光明、最君子的那种偷法。

所以他去偷一个人的东西时，往往也同时会偷到那个人的心。

房门是掩着的。

楚留香居然轻轻敲了敲门，就像一个君子去拜访他朋友般敲了敲门。

没有人响应。

楚留香再想敲门的时候，门却忽然开了。

他立刻看到了一张绝美的脸。

女人的美也有很多种。

张洁洁的美是明朗的、生动的，艾青的美是成熟的、撩人的。

这女人却不同。

她也许没有张洁洁那么可爱，也没有艾青那种撩人的风韵，却美得更优雅，更高贵。

张洁洁她们的美若是热的，这女人的美就是冷的。

冷得像冬夜中的寒月，冷得像寒月下的梅花。

连她的目光都是冷漠的，仿佛无论遇到任何事情时，都不会吃惊。

所以她看到楚留香时也没有吃惊，只是冷冷淡淡地打量了他两眼。

这种眼色居然看得楚留香觉得很不安，甚至好像有点脸红。

无论如何，半夜三更来敲一个陌生女孩子的门，总不是件很有面子的事。

他正想找几句比较聪明些的话来说说，替自己找个下台阶的机会。

谁知她却已转身走了进去。

屋子里当然布置得很精雅，大理石面的梨花几旁，只有两张椅子。

到这里等的客人显然并不多。

她慢慢地坐下来，忽然向另一张椅摆了摆手道："请坐。"

这邀请不但来得突然，而且奇怪。

一个像她这样的女孩子，怎么会随随便便就邀请一个半夜三更来敲她房门的陌生男人，到她闺房里坐下来呢？

难道她早已知道来的这个人是谁？

楚留香虽然已坐了下来，却还是觉得有些局促，有些不安。

他实在没有理由就这样闯进一个陌生女孩子的房里来的。

假如这少女并不是他要找的人，和这件事并没有关系，就算别人不说他，他自己也觉得很丢人。

他忍不住又摸了摸鼻子。

在他心里不安的时候，除了摸鼻子之外，好像就没有别的事可做，连一双手都不知应该放在哪里才好。

然后他就看到了她的手伸过来，手里端着杯茶。

碧绿色的翡翠杯，碧绿的茶，衬得她的手更白，白而晶莹，仿佛透明的玉。

她忽然淡淡地笑了笑，道："这杯茶我刚喝过，你嫌不嫌脏？"

没有人会嫌她脏。

她清净得就像是朵刚出水的白莲。

但这邀请却来得更突然，更奇怪。

一个像她这样的女孩子，怎么会随随便便就请一个陌生男人喝她自己喝过的茶呢？

楚留香看看她，终于也笑了笑，道："多谢。"

他接过了这杯茶。

他忽然发现她的美不但优雅高贵，而且还带着某种说不出的神秘气质，仿佛对任何事，都看得很淡，很随便。

她请楚留香喝这杯茶，并不是种很亲密的动作，只不过因为她根本觉得这种事情无所谓，根本就不在乎。

她甚至好像根本就没有将楚留香放在心上。

楚留香被女人恨过，也被女人爱过，却从未受过女人如此冷淡过。

冷淡得简直已接近轻蔑。

这种感觉虽令他觉得很恼火，但对他说来，却也无疑是种很新奇的经验。

新奇就是刺激。

也不知为了什么，他忽然有了种征服这个女人的欲望。

也许每个男人看到这种女人时，都难免会有这种欲望。

楚留香将这杯茶喝了下去——因为他也一定要做出满不在乎的样子。

对任何事都不在乎的样子。

何况他早已确定这杯茶里绝没有毒。

他对任何毒药都有种神秘而灵敏的反应，就好像一只久经训练的猎犬，总能嗅得出狐狸在哪里一样。

她冷冷淡淡地看着他，忽又道："这儿只有一个茶杯，因为从来都没有客人来过。"

楚留香的回答也很冷淡。

"我也不能算你的客人。"

"但你却是来找我的。"

"也许是。"

"也许？"

楚留香笑得也很冷淡："现在我只能这样说，因为我还不知道你是不是我要找的人。"

"你要找的是谁？"

"有个人好像一定要我死。"

"所以你也想要他死？"

楚留香又淡淡地笑了笑："自己不想死的人，通常也不想要别人死。"

这句话的另一方面也同样正确。

"你若想杀人，就得准备着被杀！"

她还在看着楚留香，美丽而冷淡的眼睛里，忽然露出很奇怪的表情。

"你想要的是什么？"

"我只想知道一件事。"

"什么事？"

"这个人是谁，为什么要杀我？"

她忽然站起来，走向窗下，推开窗子，让晚风吹乱她的发丝。

过了很久之后，她好像才下了决心。

忽然道："你要找的人就是我！"

窗外夜色凄清，窗下的人白衣如雪。

她背着楚留香，并没有回过头，腰肢在轻衣中不胜一握。

这么样一个人，居然会是个阴险恶毒的凶手？楚留香不能相信，却又不能不信。

没有人愿意承认自己是凶手，除非他真的是凶手，而且已到了不能不承认的时候。

楚留香看着她的背影，还是忍不住要问："真的是你要杀我？"

"嗯。"

"那些人都是你找来杀我的？"

"是。"

"你认得我？"

"不认得。"

“不认得为什么要杀我？”

没有答复。

“艾青呢？她们姐妹是不是被你绑走的？她们的人在哪里？”

还是没有答复。

楚留香叹了口气，冷冷道：“你难道一定要我逼你，你才肯开口？”

她忽然转过身，盯着楚留香。

她眼睛里的表情更奇怪，好像在看着楚留香，又好像什么都没有看见。

又过了很久，她才一字字慢慢地说道：“你要问的话，我都可以说出来。”

楚留香道：“你为什么不说？”

她的声音更低，道：“在这里我不能说。”

楚留香道：“要在什么地方你才能说？”

她的声音已低如耳语，只说了两个字：“床上。”

屋角里有扇门。

轻帘被风吹起来的时候，就可以看到屋里的一张床。

床前低垂着珍珠罗帐。

她已走进去，走入罗帐里。

她的人如在雾里。

“床上，你若想睡，就跟我上床。”

楚留香做梦也想不到会从她这么样一个女孩子嘴里，听到这种话。

这实在不能算是句很优雅的话，当然更不高贵。

无论是一个什么样的女孩子，在你面前说出这种话，你就算很愉快，也同样会觉得这女人很低贱。

可是她，却不同。

她在楚留香面前说这句话的时候，楚留香既没有觉得很愉快，也并没有觉得她是个很低贱的女人。

因为她对你这么样，并没有表示出她喜欢你，也没有表示出她要你。

她只不过要你这么样做。

因为她对这种事根本看得很淡，根本不在乎。

也许她并不是真的这样，但无论如何，她的确已使楚留香有了这种感觉。

这种感觉通常都会令人心里很不舒服。

雪白的衣服已褪下，她的胴体却更白，白而晶莹。

那已不是凡俗的美，已美得圣洁，美得接近神。

你也许日日夜夜都在幻想着这么一个女人，但我可以保证，你就算在幻想中，也绝不会真的奢望能得到这么样一个女人。

因为那本不是凡人所能接近，所能得到的。

你可以去幻想她，去崇拜她，但你却绝不敢去冒渎她。

假如现在偏偏就有这么样一个女人在等着你，你也知道自己一定可以得到她，而且不费吹灰之力，你心里会怎么想?

楚留香好像什么都没有想。

在这种时候，一两动作比一千斤思想都有用。

他慢慢地走过去，掀起了罗帐。

屋里也有灯。

屋内的灯光忽然满洒在她身上。

她身上如缎子般地发着光，眼睛里也发出了光，可是她并没有看楚留香。

她目光仿佛还停在某一处非常遥远的地方。

楚留香却在看着她，似已不能不看她。

她当然知道他在看她，却还是静静地站在那里，没有动，也没有说话。

她还是不在乎。

她要你这么做，可是她自己却不在乎——她既没挑逗你，更没有引诱你，只不过要你这样做。

她简直冷得可怕。

但最冷的冰也正如火焰一样，你去摸它时，也同时会有种被火焰灼烧的感觉。

楚留香心里也似已有股火焰燃起。

若是别的男人，现在一定用力揪住她的头发，将她拉在自己怀里，让她知道你是个男人，让她知道你才是真正的强者。但楚留香却只不过轻轻拉起了她的手。

她的手纤秀美丽，十指尖尖，手心柔软得如同婴儿的脸。

婴儿的脸总是苹果色的，她手心也正是这种颜色。

甚至连楚留香都没有看过如此美丽的手。

因为他看过的女人，手里就算没有握过刀剑，也一定发过暗器。

就算最小心的女人，练过武功之后，手上都难免留下些瑕疵。这双手却是完美无瑕的。

楚留香低下头，目光沿着她柔和的曲线滑下去，停留在她足踝上。

她的足踝也同样纤秀而美丽。

就算最小心的女人，练过武之后，足踝也难免会变得粗些。她显然绝不是个练过武的女人。

楚留香轻轻吐出口气，慢慢地抬起头。忽然发现她也在看着他，眼睛里仿佛带有种冷淡讥讽的笑意，淡淡道："你好像很懂得看女人。"

他的确懂得。

有经验的男人看女人，通常都先从手脚看起。但这绝不是君子的看法。

她又笑了笑，淡淡道："现在你是否已满意？"

就算是最会挑剔的男人，也绝不会对她不满意的。所以楚留香根本用不着回答。

她还在淡淡地笑着，目光却似又回到远方，过了很久，才轻轻道："抱我到床上去。"

楚留香抱起了她。床并不太大，却很柔软。雪白的床单好像刚换过，连一点皱纹都没有。

无论对哪种男人来说，这张床也绝没有什么可以挑剔的地方。理想的女人，理想的床。

在这种情况下，男人还能有什么拒绝的理由呢？楚留香抱起了她，轻轻放在床上。

她已在等着，已准备接受。

楚留香只要去得到就行，完全没有什么值得烦恼担心的。因为这件事根本没有勉强。

屋子里没有别的人，她绝不会武功，床上也绝没有陷阱。

只要他得到她，就可以知道他最想知道的秘密。

这种好事到哪里找去？他还在等什么？为什么他还站在那里不动，看起来反而比刚才更冷静？

难道他又看出一些别人看不到的事？

她等了很久，才转过脸，看着他，淡淡道："你不想知道那些事？"

楚留香道："我想。"

她又问："你不想要我？"

楚留香道："我想。"

她目中终于露出了笑意，道："既然你想，为什么还不来？"

楚留香终于长长叹了口气，一字字道："是谁要你这么做的，你为什么要……"

这句话还没有说完，突听"当"的一声，就好像有面铜锣被人自高处重重地摔在地上。

接着，就是一个女人的呼声。

"捉贼，快来捉贼！这里有个采花贼。"

只叫了两声就停止。然后四面又是一片寂静，叫声好像没有人听见。

楚留香并没有往外冲，甚至连一点这种意思都没有。他目光甚至没有离开过她的脸。

她脸上也完全没有丝毫惊异的表情，什么样的表情都没有。

这世上好像根本就没有什么值得她关心的事。过了很久，她忽然问了句很奇怪的话。

她看着楚留香，忽然问道："你是个君子，还是个聪明人？"

楚留香道："两样都不是。"

她又问："你是什么？"

楚留香笑了笑，道："也许我只不过是个傻子。"

她忽然也笑了笑道："也许你根本就不是个人。"

直到这时，她目中才真的有了笑意。但那也是种很缥缈，很难捉摸的笑意，就连笑的时候，她心里都有种说不出的幽怨和辛酸。楚留香看着她，忽然也问了句很奇怪的话。

他忽问道："你知不知道我本来以为你一定会失望的？"

沉默了很久，她才慢慢地点了点头，幽幽道："我知道，就连我自己，都以为我一定会很失望的。"

楚留香道："但现在你好像并不觉得失望。"

她想了想，淡淡道："那也许只因为我从来都没有真的那么样地盼望过。"

楚留香道："你盼望过什么？"

她又笑了笑，一字字道："什么都没有，现在我已经很满足。"

她真的已很满足？

楚留香似乎还想再问，但看到她那双充满了寂寞和幽怨的眸子，心里忽然也觉得有种说不出的酸楚。

他不忍再问，就悄悄地转过身，悄悄地走了出去。可是他本来想问的究竟是什么呢？

她又有什么令人不能问、不忍问的秘密和隐痛？楚留香认为她盼望的是什么？失望的又是什么？

她究竟是不是这件事的主谋？这些问题有谁能答复？

楚留香悄悄地走了，她在看着。外面的灯光不知何时已熄灭。

她看着楚留香的身影慢慢地消失——然后她所能看到的就只有一片黑暗！

绝望的黑暗。她目中忽然涌出一串珍珠般的泪珠。珠泪沾湿了枕头。

第七章

九曲桥上

窗子虽然是开着的。

却看不见窗外的星光月色。

楚留香木立在黑暗中。

他悄悄地来，现在又悄悄地走。

既没有留下什么，也没有带走什么。

可是他脸上的表情为什么如此痛苦？他为什么痛苦？为谁痛苦？

来的时候他只敲了敲门，就这样简单地进来了。

走的时候他连一声“珍重”都没有说，就这样简简单单地走了。

在这里他虽没有得到什么，却也没有失去什么。

在他充满了传奇和危险的一生中，这好像只不过是个很平淡的插曲，既不值得回忆，更不值得向人们诉说。但他自己却知道，这件事是他毕生难以忘怀的。

因为他从来也没有如此接近死亡过。

“只有看不见的危险，才是最可怕的！”

他是不是真的已看出了危险在哪里？他究竟看出了什么？

这也只有他自己才知道，只可惜他也许永远也不会说了。

夜更静寂。

刚才那一声锣响，和那一声大叫，仿佛根本没有惊动任何人。

难道这里的人都是聋子？

难道这里根本就没有别的人？

至少总应该有一个——那大叫的女人。

为什么她只叫了一声？

她从哪里来的？为什么又忽然走了？

她是谁？

这些问题也许连楚留香都无法答复。

有风吹过的时候，他仿佛听到屋子里传出一阵轻轻的啜泣声。

他想回头，却又忍住。

因为他知道，既不能安慰她，也不能分担她的悲哀和痛苦——除了同情外，他什么都不能做。

他只有狠下心来，赶快走，赶快将这件事结束。

他这一生也从未如此狠心过。

刚才来的时候，他本觉得自己很可笑，现在却觉得自己很可恶。

又有风吹过，他忽然推门走了出去。

他怔住。

花园里很静，一点声音都没有，但有人。

一长排人，就像是一长排树，静静地等在黑暗中，动也不动。

楚留香看不见他们的脸，也看不出他们究竟有多少人，只看见了他们的弓，他们的刀。

弓已上弦，刀已出鞘。

屋子在桥上，桥在荷塘间。他们已将这花林中的荷塘完全包围住。

但他们来的时候，却连一点声音都没有。这么多人的脚步声，居然能瞒过楚留香。

楚留香只有苦笑。

当时他的思想确实太乱，想的事确实太多。

这些人的脚步声也实在太轻，只有经过最严格训练的人，才会有这么样的脚步声，才能在无声无息中将弓上弦，刀出鞘。

但真正可怕的并不是他们。

可怕的是那个训练他们的人!

就在这时，九曲桥头上，忽然有两支燃烧着的火把高高举起。

在黑暗中突然亮起的火光，总是令人炫目的。

炫目的火光，点亮了一个人的脸。

楚留香总算看见了这个人，看清了这个人。

此刻他最不愿看见的，也正是这个人。

在万福万寿园最有权威的人，几乎就已可算是江南武林中最有权威的人。

这个人并不是金老太太，她已刚刚成为一种福寿双全的象征，已刚刚成为很多人的偶像。

真正掌握着权威的人是金四爷。

他一只手掌握着亿万财富，另一只手掌握着江南武林中大半人的生死和命运!

炫目的火光，照亮了一个人的脸。

一张充满了勇气、决心和坚强自信的脸，一个相貌威严、宽袍大袖的中年人。

桥头摆着张大而舒服的太师椅。

金四爷头发用黑缎子随随便便地绾了个髻，脚下也随随便便地套了双多耳麻鞋，就这样随随便便地坐在那里。

但绝没有人敢随随便便地看他一眼，更没有人敢在他面前随随便便地说一句。

有种人无论是站着，是坐着，还是躺着，都带着种说不出的威严。

金四爷就正是这种人。

楚留香看过他，也知道他是那种人。

他知不知道楚留香是哪种人呢？

楚留香叹了口气，终于走了过去，等他走到金四爷面前时，脸色已很平静。

能看到楚留香脸上有惊慌之色的并不多。

金四爷那双鹰一般锐利的眸子，正盯在他脸上，忽然道：“原来是你。”

楚留香道：“是我。”

金四爷冷冷道：“我们还真没有想到是你。”

楚留香笑了笑，道：“我也没想到金四爷居然还认得我。”

金四爷沉着脸，道：“像你这样的人，我只要看过一眼，就绝不会忘记。”

楚留香道：“哦？”

金四爷道：“你有张很特别的脸。”

楚留香道：“我的脸特别？”

金四爷道：“无论谁有你这么样的一张脸，再想规规矩矩地做人都难得很。”

楚留香又笑了，又摸了摸鼻子。

他本来是想摸摸自己脸的，却还是忍不住要摸在鼻子上。

金四爷冷冷道：“所以我一眼就看出你绝不是个规规矩矩的人。”

楚留香道：“所以你才没有忘记我？”

金四爷道：“哼。”

楚留香道：“但我也没有忘记金四爷。”

他微笑着，又道：“像金四爷这样的人，无论谁看过一眼，都很难忘记的。”

金四爷脸色变了变，厉声道：“你既然还认得我，你就不该来。”

楚留香叹了口气，道：“只可惜我已经来了。”

金四爷道：“你知不知道这里是什么地方？”

楚留香道：“不知道。”

他本来的确不知道。就算他早已知道，还是一样会来。

金四爷道：“你知不知道三十年来，还没有一个人胆敢随意闯入这里！”

楚留香道：“不知道。”

金四爷道：“你怎么到这里来的？”

楚留香道：“不知道。”

金四爷怒道：“不知道怎么会来？”

楚留香苦笑道：“就这样糊里糊涂地来了。”

金四爷瞪着他看了半天，忽又问道：“你连刚才看见的人是谁都不知道？”

楚留香道：“不知道，却很想知道。”

金四爷一字字道：“她是我的女儿！”

楚留香又怔住了，这下子才真的怔住了。

金四爷表情变得很奇怪，沉声道：“你若是看到有人半夜里从你女儿屋里走出来，你会怎么样去对付他？”

这句话问得好像也有点奇怪。

楚留香却还是摇摇头，道：“不知道。”

这次他说的不是真话。

其实他当然也知道，在这种情况下，做父亲的人通常只有两种法子——

若不打死那小子，只有逼他娶自己的女儿做老婆。

金四爷脸上现出怒容，厉声道："你真不知道？"

楚留香道："我没有女儿。"

金四爷怒道："你知道什么？"

楚留香忽然长长叹了口气，道："到现在为止，我只知道一件事。"

金四爷道："哪件事？"

楚留香苦笑道："我只知道我自己好像已掉进个圈套里，忽然间就莫名其妙地掉了下去。"

他的确有点莫名其妙。等他发现这是个圈套时，绳子已套住了他的脖子。

金四爷脸色又变，厉声道："圈套！什么圈套？"

楚留香道："不知道。"

他苦笑着，接着道："我若知道这是个什么样的圈套，就不会掉下来了。"

金四爷冷冷道："你是不是还想跳出去？"

楚留香道："想得要命。"

金四爷道："一个人若已真的掉在圈套里，就很难再跳出去。"

楚留香道："的确很难。"

金四爷道："你知不知道要怎么样才能出得去？"

楚留香道："不知道。"

金四爷目光忽又变得很奇怪，道："那只有一种法子。"

楚留香道："请教。"

金四爷沉声道："只要你忘记这个圈套，你就已不在这圈套里。"

楚留香想了想，道："这句话我不太懂。"

金四爷道："你若忘记这是个圈套，哪里还有什么圈套？"

楚留香又想了想，道："我还是听不懂。"

金四爷沉下了脸，道：“要怎样你才懂？”

楚留香道：“不知道。”

金四爷厉声道：“好，我告诉你！”

他霍然长身而起，忽然已站在楚留香面前，左掌在楚留香眼前挥过，右手闪电般去抓楚留香的腕子。

这并不能算是很精妙的招式。

楚留香七八岁的时候，就已学会对付这种招式的法子。

他就算闭着眼，再绑住一只手，一条腿，也能避开这一招的。

但金四爷的招式却已变了，忽然间就变了，也不知是怎么变的。

楚留香忽然发现金四爷的右手在他眼前，本来在他眼前的那只左手，竟已扣住了他的腕子。

他这才吃了一惊。

这一两年来，他会过的绝顶高手，比别人一生中听说的还多。

石观音的身法，“水母”阴姬的掌力，蝙蝠公子的暗器，薛衣人的剑……可说无一不是登峰造极的武功，每一招使出，几乎都有令人不得不拍案叫绝的变化，不能不惊心动魄的威力。

但楚留香却从未见过，像金四爷这一招那么简单，那么有效的武功。

这一招好像就是准备用来对付楚留香的！

楚留香的腕子立刻被扣住。

金四爷低叱一声，额上青筋一根根凸起，手臂反抡，竟将楚留香整个人摔了出去。

他拍了拍手，吐出口气，脸上也不禁露出得意之色，显然对自己的武功觉得很满意。

谁一招能将楚留香摔出去，都应该对自己很满意。

眼看着楚留香的头就要撞上桥畔的石柱，金四爷就慢慢地转过身，挥了挥手，意思是要他的家丁们将楚留香的尸体抬去。

他已不准备再看见楚留香这个人。

一个人的脑袋被撞得稀烂，并不是件很好看的事。

谁知他刚转过身，就看见一个人笑嘻嘻地站在他面前看着他。

这人正是他永远不想再看到的那人。

金四爷的脸突然僵硬。

楚留香正站在他面前，笑嘻嘻地看着他，全身上下都完整得好像刚从封箱中拿出来的瓷器，连一点撞坏的地方都没有。

金四爷的目光从他的头看到脚，又从他的脚看到头，上上下下看了两遍，忽然冷冷一笑，道："好！好功夫！"

楚留香也笑了笑，道："你的功夫也不错。"

金四爷道："你再试试这一招！"

说话的时候他已出手。

他每个字都说得慢，出手更慢，慢得出奇。

楚留香看看他的手。

他的手粗而短，却保养得很好，指甲也修剪得很干净。而且不像其他那些养尊处优的大爷一样，小指上并没有留着很长的指甲，来表示自己什么事都可以不必做。

这双手虽然绝不会令人觉得恶心。

但有时却的确可以令人送命！

他左手的指头看来更粗硬，更短，显然也更有力。

现在他的左手虽已抬起，却没有动，右手也动得很慢，慢慢地向楚留香伸过去，好像想握一握楚留香的手，跟他交个朋友。

现在这只手看来的确连一点危险都没有。

但也只有看不见的危险，才是真正的危险。

这道理楚留香是不是懂得?

他好像不懂。

所以等他看出这只手的危险时，已来不及了!

忽然间，楚留香发现自己两只手都已在这只手的力量控制之下。

无论他的手想怎么动，手腕都很可能立刻被这双手扣住。

他没有动，并不是因为不想动，而是根本不能动。

金四爷手背上的青筋也已凸起，指尖距离楚留香的腕子已不及三寸。

楚留香轻轻叹了口气。

就在这时，金四爷的手已扣住了他的腕子——不是右手，是左手。

他的右手还停在那里，左手却已突然闪电般探出。

这种招式说来并不玄妙，甚至可以说是很陈旧很老套的变化。

但他却用得实在太快，太有效!

楚留香的注意力好像已完全集中在他右手上，根本没有防备他这只左手。

要命的左手。

金四爷再次低叱一声，楚留香的人就立刻又被抡了过去!

眼看着他又要撞上桥畔的石柱。

这次金四爷既没有转身的意思，也没有准备再看的意思。

他目光灼灼，眨也不眨地盯着楚留香。

几十个人站在这里，四下里却静得像完全没有人一样。

没有人欢呼，也没有人喝彩。

这些人已被训练得铁石般冷静，金四爷一招得手，他们甚至连手里已张满了的弓弦都没有颤动一下。

但他们的眼睛却也不能不去看楚留香。

在每个人的计算中，都认为这是楚留香的头要撞上石柱的时候。

楚留香的身子突然凌空一转——就像是鱼在水中一转。

这一转非但没有丝毫勉强，而且优美文雅如舞蹈。

看到楚留香的轻功身法，简直就好像看着一个久经训练的苗条舞女，在你面前随着乐声起舞一样。

几乎就在他转身的同一刹那间，他的人已回到金四爷面前。

金四爷的眼睛始终没有离开过他，也就在这同一刹那间，突又出手。

谁也没有看清他的动作。只看见楚留香的身子又被抡起，死鱼般被摔了出去，只不过换了个不同的姿势而已。

但他回来的方法却还是和刚才一样。

眼见着他要撞上石柱时，他身子突又一转，人已回到金四爷面前。

只听一声霹雳般的大喝！

金四爷的身子似已暴长半尺，似已将全身力量都用作这孤注一掷。

楚留香的人箭一般向后飞出。

他第四次被摔出去。

这一摔之力何止千斤，楚留香的人似已完全失去控制！

在这种力量下，根本就没有人还能控制自己。

眼看着他这次势必已将撞上石柱，却忽然从石柱栏杆间穿了过去。

他脚尖钩住了石柱，用力一钩，忽然又从栏杆间穿了回来，来势仿佛比去势还急，到了金四爷面前，才突然转身。

就像是鱼在水中轻轻一转。

然后他的人就轻飘飘地落在金四爷面前，脸上还是带着那种懒懒散散的微笑，就好像始终都一直站在那里，根本就没有动过。

没有人动，没有人出声。

但每个人眼睛都不禁露出惊叹之色。

这一战虽然是他们亲眼看见的，但直到现在，他们几乎还不能相信自己的眼睛。

人有很多种，但大多数人却都属于同一种。

这种人做的每件事，几乎都在预料中——在别人的预料中，也在自己预料中。

他们日出而作，日落而息。

他们工作，然后就等着收获。

他们总不会有太大的欢乐，也不会有太大的痛苦，他们平平凡凡地活着，很少会引起别人的惊奇，也不会被人羡慕。但他们却是这世界不可缺少的。

楚留香不是这种人。

他做的每件事，几乎都不是别人预料得到的，几乎难以令人相信。因为他天生就是个传奇人物。

火把的火光在闪动。闪动的火光，照着金四爷的脸。

他脸上并没有什么表情，但额上却似已有汗珠在火光下闪动。

他凝视着楚留香，目光已有很久很久没有移动。

楚留香还在微笑着。

金四爷忽然道："好，好功夫。"

楚留香微笑道："你的功夫也不错。"

还是和刚才同样的两句话，但现在听起来，味道却已不同。

金四爷忽然转身，慢慢地走回去，坐下来，椅子宽大而舒服。

楚留香却只有站着。

金四爷看着他站在那里，脸上还是一丝表情也没有，汗却已干了。

楚留香忽也转过身，走回那水阁。

金四爷看着他，既没有阻拦，也没有开口。

过了半晌，就看到楚留香又走了出来，搬着张椅子走了出来。

他将椅子放到金四爷对面，坐下。椅子宽大而舒服。

两人就这样面对面地坐着，面对面地看着，谁也没有开口。

也不知过了多久，金四爷忽然挥了挥手。

几乎就在这一瞬间，弓已收弦，刀已入鞘，数十人同时退入黑暗中，连一点声音都没有发出，连脚步声都没有。只有桥头的两个人，仍然高举着火把，石像般站在那里。

火焰在闪动。

金四爷突又挥了挥手，道："酒来。"

他说的话就好像某种神奇的魔咒。忽然间，酒菜已摆在桌上，桌子已摆在他们面前。食盒中摆着八色菜，精致而悦目。

酒是琥珀色的。斟满金杯。

金四爷慢慢地举起金杯，道："请。"

楚留香举杯一饮而尽，道："好酒。"

金四爷道："英雄当饮好酒。"

楚留香道："不敢。"

金四爷沉声道："昔日青梅煮酒，快论英雄，佳话永传千古，却不知今日之你我，是否能比得上昔日之刘曹？"

楚留香忍不住笑了，道："比不上。至少我比不上。"

金四爷道："怎见得？"

楚留香道："英雄绝不会坐在别人的圈套里走不出去。"

金四爷沉下了脸，默默良久，一字字道："人若还在圈套里，怎能舒舒服服地坐着？"

圈套里的人总是躺着的。

楚留香目光闪动，微笑道："如此说来，莫非我已走了出去？"

金四爷道："那还得看你。"

楚留香道："哦？"

金四爷又沉默了很久，忽然长叹一声，道："你做过父亲没有？"

楚留香道："没有。"

金四爷道："但为人子的，总该明白做父亲并不是件容易事。"

楚留香道："的确不容易。"

金四爷的神情忽然变得很消沉，倾满金杯，一饮而尽，长叹道："尤其是做一个垂死女儿的父亲，那更不容易。"

楚留香也叹了口气，道："我明白。"

金四爷突又抬起头，目光刀一般盯在他脸上，厉声道："你还明白什么？"

楚留香道："我明白的事本来很多，只可惜有很多却已忘记了。"

金四爷道："你又是忘记了什么？"

楚留香道："忘记的是那些不该记得的事。"

金四爷目光垂落，看着自己的手，又过了很久，才缓缓道："这件事你也会忘记？"

楚留香笑了笑，道："也许我现在就已忘了。"

金四爷道："从此再也不会记起？"

楚留香道："绝不会。"

金四爷道："这话是谁说的？"

楚留香道："楚留香说的。"

楚留香的话，一向永无更改。

金四爷忽又抬起头，看着他，慢慢地举起金杯道："请。"

楚留香一饮而尽，道："好酒。"

金四爷道："英雄当饮好酒。"

楚留香道："多谢。"

金四爷仰天而笑，大笑了三声，霍然长身而起，大步走了出去，走入黑暗中。

火把立刻熄灭！天地间又变得一片黑暗，石像般站在桥头的两个人也跟着消失在黑暗里。

没有脚步声，什么声音都没有。

楚留香一个人静静地坐在黑暗里，凝视着手里的金杯。金杯在星光下闪着光。

他很想将这件事从头到尾再想一遍，但思想却乱得很，根本无法集中起来思索一件事。

因为这件事根本就不像是真的，根本就不像是真的发生过。

世上怎么会有这种荒谬离奇的事发生？这连他自己都无法相信。

但金杯仍在闪着光。金杯是真的。

楚留香轻轻叹了口气，抬起头，前面是一片无边无际的黑暗，再回头，屋子里的灯也已灭了。

人呢？楚留香忽然发现人已到了桥上，正倚着栏杆，默默地看着他。

白衣如雪，星眸朦胧，也不知藏着多少愁苦。但没有任何人能看得出。

别人能从她眼睛里看到的只是一种绝望的空洞。

“做一个垂死女儿的父亲，的确太不容易。”

没有一个父亲能看着自己女儿死的。死，慢慢地死……

楚留香忽然觉得金四爷也很值得同情，因为他承受的痛苦，也许比他女儿更多。

她看着楚留香，目中似已有泪光，忽然道：“现在你是不是已经完全明白了？”

楚留香点点头。他但愿自己永远不明白，世上有些事的真相实在太可怕，太丑恶。

她又问道："你要走？"

楚留香苦笑。

她垂下头，轻轻道："你一定很后悔，根本就不该来的。"

楚留香道："但我已经来了。"

她凝望着桥下的流水，道："你怎么会来的，你自己知不知道？"

楚留香叹道："不知道也好。"

她忽又抬起头，凝视楚留香，道："你知不知道我以前看过你？"

楚留香摇摇头。

她慢慢地接着道："就因为我看过你，所以才要你来。"

楚留香道："是你想法子要我来的？"

她点了点头，声音轻如耳语。

"别人都说，我这种病只有一种法子能治得好……只有跟男人在一起之后，才能治得好，可是我从来也没有试过。"

"为什么？"

"我不信，也不愿意。"

"不愿意害别人？"

"我并不是个心肠那么好的女人，可是我……"

"你怎么样？"

"我讨厌男人，一碰到男人就恶心。"

她空洞的眼睛里忽然有了某种又缥缈又虚幻的情感。

所以她立刻避开了楚留香的眼睛，轻轻道："我要你来，只因为我不讨厌你……"

楚留香只有沉默。他实在不知道自己该说什么。

无论如何，一个女孩子告诉你，她不讨厌你，总是件值得高兴的事。

但在这种情况下，他实在没法子高兴起来。

她也沉默了很久，才接着道："这些话我本不该说出来的。"

楚留香道："你为什么要说？"

她的手紧握着栏杆。好冷的栏杆，一直可以冷得进入心里。

"我说出来，只因为我想求你一件事。"

"什么事？"

"不要怪我的父亲，也不要怪别人，因为这件事错的是我，你只能怪我。"

楚留香沉思着，忽然问道："你以为我会怪什么人？"

"那个要你来的人。"

"你知道她是谁？"

她摇摇头，淡淡道："我只知道有些人为了十万两银子，连自己兄弟都一样会出卖的。"

楚留香立刻追问："你不认得张洁洁？"

"谁是张洁洁？"

"艾青呢？卜阿鹃呢？你也不认得她们？"

"这些名字我根本从未听说过。"

楚留香又沉默了很久，忽然长叹道："其实你也该怪你自己。"

"为什么？"

"因为你也是被人利用的……被利用作杀我的工具！"

她张开了眼睛，仿佛很惊异："是谁利用了我？是谁想杀你？"

楚留香笑了，淡淡笑道："现在我还不知道，但总有一天，我会找到她的！"

高墙上风更冷。站在墙头，依稀还可以看见她一身白衣如雪。

她还在倚着栏杆，发冷的栏杆。但世上还有什么能比她的心更冷？

"我只求你一件事，只求你莫要恨我的父亲。"

楚留香绝不恨他们，只觉得他们值得怜悯，值得同情。他们也和楚留香同样是在被人利用，同样是被害的人。楚留香应该恨的是谁呢?

“你一定很后悔，根本就不该来的。”

他的确很后悔，后悔不该太信任张洁洁，他只希望能见到她。那时他说不定会揪住她的头发，问个清楚，问她为什么要这样子害人?

但他也知道，自己这一生只怕是永远再也不会看到张洁洁了。

她当然绝不敢再来见他。他也没法子找到她。

除了知道她的名字叫张洁洁之外，他对她这个人根本一无所知。

甚至连这名字究竟是真是假，他都不知道。

“其实能永远不见她也好，反而落得太平些。”

这样的女孩子除了会害你，害得你头晕脑涨，头大如斗之外，对你还能有什么别的好处?

但也不知为了什么，只要想到以后永远再也看不到她时，楚留香心里就会觉得有种说不出来的怅惘，仿佛突然失落了什么。

高墙上的风真冷。楚留香轻轻叹了口气，从墙头跃了下去。

这次跃下时他并不觉得惶恐，因为他很有把握。

他知道自己会落到什么地方。那既不是陷阱，也不是火坑，只不过是条很僻静的小巷子。

他可以尽量放心。他太放心了。直到他落下去之后，才发觉下面虽没有火坑，却有个水盆，他的人恰巧就落在这水盆里。然后他立刻就听到一个人的笑声。

第八章

月下水，水中月

楚留香喜欢笑。

他不但喜欢自己笑，也喜欢听别人笑，看别人笑。因为他总认为笑不但能令自己精神振奋，也能令别人快乐欢愉。

就是最丑陋的人，脸上若有了从心底发出的笑容，看起来也会显得容光焕发，可爱得多。

就算是世上最美妙的音乐，也比不上真诚的笑声那么样能令人鼓舞振奋。

现在楚留香听到的这笑声，本身就的确比音乐更悦耳动听。

可是楚留香现在听到这笑声，却好像突然被人抽了一鞭子。

他听得出这正是张洁洁的笑声。

楚留香绝不会跌进一个大水盆里……除了洗澡的时候外，他绝不会像这样“扑通”一下子，跌进了一个大水盆里。

无论从什么地方跳下都不会。

他就算是从很高的地方跳下来，就算不知道下面有一大盆水在等着他，也绝不会真的跌进去。

“楚留香的轻功无双”，这句话，并不是胡说八道的。

可是他现在却的的确确是“扑通”一下子就跌进了这水盆里。只因为他刚准备换气的时候，就忽然听到了张洁洁的笑声。

一听到张洁洁的笑声，他准备要换的那口气，就好像忽然被人抽掉了。

水很冷，居然还带着种栀子花的味道。

楚留香的火气却已大得足足可以将这盆水烧沸。

他并不是个开不起玩笑的人，若在平时，遇着了这种事，他一定会笑得比谁都厉害。

但现在他的心里却实在不适于开玩笑。

无论谁若刚被人糊里糊涂地送去做替死鬼，又被同一个人送进一盆冷水里，他若还没有火气，那才真的是怪事。

张洁洁笑得好开心。

楚留香索性坐了下来，坐在冷水里。

他坐下来之后，才转头去看张洁洁，仿佛生怕自己看到她之后会气得爆炸。

他看到了张洁洁。他没有爆炸。

忽然间，他也笑了。

无论你在什么时候，什么地方看到张洁洁，她总是整整齐齐、干干净净的样子，就好像一枚刚剥开的硬壳果。

但这次她看来却像是一只落汤鸡。

她从头到脚都是湿淋淋的，居然也坐在一个大水盆里。正用手掬着水，往自己头上淋，一面吃吃地笑道："好凉快哟，好凉快。你若能在附近八百里地里，找到一个比这里更凉快的地方，我就佩服你。"

楚留香大笑道："我找不着。"

他本来不想笑的，连一点笑的意思都没有。

但现在他笑得却好像比张洁洁还开心。

张洁洁笑道："你若猜得出这两个水盆是怎么弄来的，我也佩服你。”

楚留香道：“我猜不出。”

根本就不想猜。

张洁洁做的事，本来就是谁都料不到，谁都猜不出的。

你就算猜破头也猜不出。

她瞪着眼，笑得连眼泪都快流了下来，那双新月般的小眼睛，看起来就更可爱。

楚留香看着她的眼睛，忽然跳了起来，跳进她那个水盆里。

张洁洁娇笑着，用力去推他，喘息着道：“不行，不许你到这里来，我们一个人一个水盆，谁也不许抢别人的。”

楚留香笑道：“我偏要来，我那个水盆没有你这个好。”

张洁洁道：“谁说的？”

楚留香道：“我说的……你这盆水比我那盆香。”

张洁洁吃吃笑道：“我刚在这里面洗过脚，你喜欢闻我的洗脚水？”

她还用力推楚留香。

楚留香硬是赖着不走，她推也推不动。忽然间，她的手好像已发软了，全身都发软了。

她整个人就倒进楚留香怀里。

她好香，比栀子花还香。

楚留香忍不住抱住了她，用刚长出来的胡子去刺她的脸。

她整个人都缩了起来，咬着嘴唇道：“你胡子几时变得这么粗的？”

楚留香道：“刚才。”

张洁洁道：“刚才？”

楚留香道：“一个人火气大的时候，胡子就会长得特别快。”

张洁洁瞪着眼，道：“你在生谁的气？”

楚留香道：“生你的气。”

张洁洁道：“你既然生我的气，为什么不揍我一顿，反来拼命抱住我？”

她瞅着楚留香，眼波温柔得竟仿佛水中的月，月下的水。

楚留香忽然把她的身子翻过来，按在自己身上，用力打她的屁股。

其实他并没有太用力，张洁洁却叫得很用力。

她又笑又叫，一面还用脚踢，踢楚留香，踢水，踢水盆。

那宽宽的裤脚被她踢得卷了起来，露出了她美丽纤巧的足踝，雪白晶莹的小腿。

也露出了她的脚。

楚留香终于看到了她的脚。

她赤着脚，没有穿鞋袜，就好像真的刚洗过脚，她的脚干净、纤巧、秀气。

楚留香看过很多女人的脚，但现在却好像第一次看女人的脚一样。

张洁洁口里轻轻喘息着，抬起头，对着他的眼睛，咬着嘴唇道：“你在看什么？”

楚留香没有听见。过了很久，才叹息了一声，喃喃道：“我现在总算明白一件事了。”

张洁洁道：“什么事？”

楚留香道：“眼睛好看的女人，脚也一定不会太难看。”

张洁洁的脚立刻缩了起来，红着脸道：“你这双贼眼，为什么总不往好的地方看？”

楚留香故意板着脸，道：“谁说我总不往好地方看，你若能在附近八百里地里，找到比这更好看的地方，我就佩服你。”

张洁洁红着脸，瞪着他，突然一口往他鼻子上咬了过去。

她咬到了。

没有声音，连笑声都没有。

两个人躲在水盆里，仿佛生怕天上的星星会来偷看偷听。

水很冷，但在他们感觉中，却已温暖得有如阳光下的春光。

现在既不是春天，也没有阳光。

春天在他们心里。阳光在他们的眼睛里。

也不知过了多久，张洁洁才呻吟般叹了口气，轻轻道：“你好狠心，打得我好疼。”

楚留香道：“我本来应该再打重些。”

张洁洁道：“为什么？难道你以为我是故意在骗你，故意想害你？”

楚留香道：“你难道不是？”

张洁洁又咬起嘴唇，道：“我若真的想害你，为什么又故意用那面大锣去惊动你，为什么还要痴痴地在这儿等你？”

她语音哽咽，连眼圈都红了，似乎受了很大的委屈，忽然用力一推楚留香，就想跳起来。

楚留香当然不会让她跳起来。

张洁洁瞪着他，恨恨道：“我既然是个那么恶毒的女人，你还拉住我干什么？”

楚留香道：“我不拉住你拉谁？”

张洁洁冷笑道：“随便你去拉谁都跟我没关系。”

楚留香道：“既然跟你没关系，你那一坛子醋怎么会打翻的？”

张洁洁道：“谁打翻了醋坛子？你见了鬼？”

楚留香悠然道：“就算没有一坛子醋，一锣醋总有，那么大一面锣装的醋也不一定会太少。”

张洁洁恨恨道：“我看你那时连头都晕了，若不是那么大的一面锣，怎么能叫回你的魂来？”

说着说着，她自己也忍不住笑了，用力一戳楚留香的鼻子，咬着嘴唇笑道：“我看你呀，到现在你的魂好像还没有回来。”

楚留香看着她，看了半天，忽然叹了口气，喃喃道：“我看我真该把脑袋放在冷水里泡一泡才对。”

张洁洁瞪着眼，笑道：“你真想喝我的洗脚水？”

她又笑得全身都软了，软软地倒在楚留香怀里。

楚留香用两只手拥抱着她，叹息着道：“这几天来，我脑袋好像始终是晕晕的，而且愈来愈晕，再不想个法子清醒清醒，差不多就快晕死了。”

张洁洁道：“晕死了最好，像你这种人，死一个少一个。”

楚留香凝视着她，道：“你真的想要我死？”

张洁洁也在凝视着他，忽然也用两只手紧紧抱住了他的脖子，柔声道：“我不想要你死……我宁可自己去死，也不想要你死！”

楚留香道：“真的？”

张洁洁没有再说什么，却将他抱得更紧。

不管她说的话是真还是假，这种拥抱却绝不会是假的。

楚留香明白。

他也有过真情流露的时候，也曾无法控制住自己。

又过了很久，张洁洁才幽幽地叹息了一声，喃喃道：“我不知道，真的不知道，我也晕了。”

楚留香道：“你不知道那位金姑娘是个……是个有病的人？”

张洁洁道：“我若知道，怎么会让你去？”

楚留香道：“但现在却知道了？”

张洁洁道：“嗯。”

楚留香道：“你几时知道的？怎么会知道的？”

张洁洁道：“你进去之后，我又不放心，所以也跟着进去。”

楚留香道：“你看到了什么？听到了什么？”

张洁洁道：“我听到有人说，他们家的小姐是个……是个很可怕的病人，本已没有救的，幸好现在总算找到了个替死鬼。”

他们都没有将金姑娘生的是什么病说出来。

因为那种病实在太可怕。

无论谁都知道，世上绝没有任何一种病比“麻风”更可怕。

那其实已不能算是一种病，而是一种诅咒，一种灾祸。已使得人不敢提起，也不忍提起。

张洁洁黯然道：“金四爷本来也不赞成这么样做的，却又不能不这样做，所以他心里也很痛苦，很不安，所以他才想将你杀了灭口。”

一个人在自我惭愧不安时，往往就会想去伤害别的人。

楚留香叹道：“我并不怪他，一个做父亲的人，为了自己的女儿，就算做错了事也值得原谅，何况我也知道这本不是他的主意。”

张洁洁道：“你知道这是谁的主意？”

楚留香道：“当然是那个一心想要我命的人。”

张洁洁叹道：“不错，我也是上了他的当，才会叫你去的，我本来以为是他在那里，因为他告诉我，他要在那里等你。”

楚留香道：“他亲口告诉你的？”

张洁洁点点头。

楚留香道：“你认得他？”

张洁洁又点点头。

楚留香道：“你既然知道他是谁，为什么不肯告诉我呢？”

张洁洁凝视着远方，远方一片黑暗，她目中忽然露出一种无法描述的恐惧之意，忽又紧紧抱住了楚留香，道：“现在我只想逃走，你……你肯不肯陪我一起逃掉？”

楚留香道：“逃到哪里去？”

张洁洁梦呓般喃喃道：“随便什么地方，只要是没有别人的地方，只有我跟你，在那里既没有人会找到我，也没有人会找到你。”

她合起眼帘，美丽的睫毛上已挂起了晶莹的泪珠，梦呓般接着道：“现在我什么都不想，只想跟你单独在一起，安安静静地过一辈子。”

楚留香没有说话，很久很久没有说话。

他眼睛里带着种很奇怪的表情，也不知是在思索，还是在做梦。

张洁洁忽又张开了眼睛，凝视着他，道：“我说的话你不信？”

楚留香慢慢地点了点头，道：“我相信。”

张洁洁道：“你……你不肯？”

她脸色苍白，身子似已颤抖。

楚留香用双手捧住了她苍白的脸，柔声道：“我相信，我也肯，只可惜……”

张洁洁道：“只可惜怎么样？”

楚留香长长叹息着，道：“只可惜世上绝没有那样的地方。”

张洁洁道：“绝没有什么地方？”

楚留香黯然道：“绝没有别人找不到的地方，无论我们逃到哪里去，无论我们躲在哪里，迟早总有一天，还是会被别人找到的。”

张洁洁的脸色更苍白。

她本是个明朗而快乐的女孩子，但现在却仿佛忽然有了很多恐惧，很多心事。

这又是为了什么？

是不是为了爱情？

爱情本就是最不可捉摸的。

有时痛苦，有时甜蜜，有时令人快乐，有时却又令人悲伤。

最痛苦的人，可能因为有了爱情，而变得快乐起来，最快乐的人也可能因为有了爱情，而变得痛苦无比。

这正是爱情的神秘。

只有真正的友情，才是永远明朗，永远存在的。

张洁洁垂下头，沉默了很久，眼泪已滴落在清冷的水里。

水里映着星光。星光朦胧。

她忽又抬起头，满天朦胧的星光，似已全都被她藏在眸子里。

她痴痴地看着楚留香，痴痴地说道："我也知道世上绝没有能永远不被别人找到的地方，可是我们只要能在那里单独过一年，一个月，甚至只要能单独过一天我就已经很快乐，很满足。"

楚留香什么都没有再说。

你若是楚留香，在一个星光朦胧、夜凉如水的晚上，有一个你所喜欢的女孩子，依偎在你怀里向你真情流露，要你带着她走。

你还能说什么？

每个人都有情感冲动，无法控制的时候。这时候除了他心上人之外，别的事他全都可以忘记，全都可以抛开。

每个人在他一生中，都至少做过一两次这种又糊涂又甜蜜的事。

这种事也许不会带给他什么好处，至少可以给他留下一段温馨的往事让他在老年寂寞时回忆。

一个人在晚年寒冷的冬天里，若没有一两件这样的往事回忆，那漫长的冬天怎么能挨得过去？

那时他也许就会感觉到，他这一生已白活了。

太阳刚刚升起，阳光穿过树叶，铺出了一条细碎的光影，就好像钻石一样。

张洁洁挽着楚留香的手，默默地走在这条宁静的小路上。

她心里也充满了宁静的幸福，只觉得自己从来没有这么样幸福过。

楚留香呢？

他看来虽然也很愉快，却又显得有些迷惘。

因为他不知道，这么样做是不是对的，有很多事，他实在很难抛开，有很多人，他实在很难忘记。

可是他已答应了她。

“每个人都有情感冲动的时候”，楚留香也是人，所以他也不能例外。

风从路尽头吹过来，绿荫深处有一双麻雀正喁喁蜜语。

张洁洁忽然仰起头，嫣然道：“你知不知道他们在说什么？”

楚留香摇摇头。

张洁洁眼睛里带着孩子般的天真，柔声道：“你听，那麻雀姑娘正在求她的情侣，求他带着她飞到东方去，飞向海洋，可是麻雀先生却不答应。”

楚留香道：“他为什么不答应？”

张洁洁瞪着眼道：“因为他很笨，竟认为安定的生活比寻找快乐更重要。他既怕路上的风雪，又怕饥饿和寒冷，却忘了一个不肯吃苦的人，是永远也得不到真正快乐的。”

楚留香慢慢道：“在有些人眼中看来，安定的生活也是种快乐。”

张洁洁道：“可是，他这样躲在别人家的树上，每天都得防备着顽童的石弹，这也能算是安定的生活吗？”

她轻轻叹了口气，幽幽地接道：“所以我认为他应该带着麻雀姑娘走的，否则他一定会后悔。若没有经过考验和比较，又怎么知道什么才是真正的快乐？”

他们已从树下走了过去，树上的麻雀突然飞起，飞向东方。

张洁洁拍手娇笑，道："你看，他们还是走了，这位麻雀先生毕竟还不算太笨。"

楚留香忽然笑了笑，道："我是不是也不能算是太笨？"

张洁洁踮起脚，在他颊上轻轻地亲了亲，柔声道："你简直聪明极了。"

"你想到哪里去？"

"随便你。"

"你累不累？"

"不累。"

"那么我们就这样一直走下去好不好？走到哪里算哪里。"

"好。"

"只要你愿意，就算走到天涯海角，我也永远跟着你，我跟定了你。"

黄昏。

小镇上的黄昏，安宁而平静。

一对垂暮的夫妇，正漫步在满天夕阳下，老人头上戴着顶很滑稽的黄麻高冠，但样子看来却很庄严，也很严肃。

他的妻子默默地走在他身旁，显得顺从而满足，因为她已将她这一生交给了她的丈夫，而且已收回了一生的安定和幸福。

他们静静地走过去，既不愿被人打扰，也不愿打扰别人。

楚留香轻轻叹了口气。

每次他看到这样的老年夫妻，心里都会有种说不出的感触。

因为他从不知道自己到了晚年时，是不是也会有个这种可以终生依偎的伴侣陪着他。

只有这次，他心里的感触幸福多于惆怅，因为张洁洁正伴在他身旁。

他忍不住握起了张洁洁的手。

张洁洁的手冷得就像是冰一样。

楚留香道："你很冷？"

张洁洁正垂头在看着自己的脚尖，过了很久，才抬起头来嫣然一笑，道："我不大冷，可是很饿，简直快饿疯了。"

楚留香道："你想吃什么？"

张洁洁眼珠子转了转，道："我想吃鱼翅。"

楚留香道："这种地方怎么会有鱼翅？"

张洁洁道："我知道前面的镇上有，再走里把路，就是个大镇。"

楚留香道："你现在已经快饿疯了，还能挨得到那里？"

张洁洁笑了道："我愈饿的时候，愈想吃好吃的东西。"

楚留香笑了道："原来你跟我竟是一样，也是个馋嘴。"

张洁洁甜甜地笑着，道："所以我们才真正是天生的一对。"

楚留香道："好，我们快走。"

张洁洁噘起嘴，道："我已经饿得走不动了，你身上还有雇车的钱吗？"

所以他们就雇了车。

车走得很快，因为张洁洁一直不停地在催。

现在从车窗看出去，已可看到前面镇上的灯火。

楚留香正看着窗外出神。

张洁洁忽然忆起道："你心里是不是还在想那个人？"

楚留香道："什么人？"

张洁洁道："那个一直在害你的人？"

楚留香笑了笑，道："有时总难免会想一想的。"

张洁洁道："你知不知道我为什么一直不曾告诉你他是谁？"

楚留香道："不知道。"

张洁洁柔声道："因为我不想你去找他，所以我想求你一件事。"

楚留香道："你说。"

张洁洁凝视着他，一字字道："我要你答应我，以后不要再想他，也不要再去找他。"

楚留香笑了笑，道："我几时找过他？都是他在找我。"

张洁洁道："他以后若不再来找你呢？"

楚留香道："我当然也不会去找他。"

张洁洁道："真的？"

楚留香柔声道："只要你陪着我，什么人我都不想去找了，我已答应过你。"

张洁洁笑得无限温柔道："我一定会永远陪你的。"

拉车的马长嘶一声，马车已在一间灯火辉煌的酒楼前停下。

张洁洁拉起楚留香的手，道："走，我们吃鱼翅去，只要身上带的钱够多，我可以把这地方的鱼翅全都吃光。"

鱼翅已摆在桌子上面了，好大的一盆鱼翅，又热又香。

可是张洁洁却还没有回来。

刚才，她刚坐下，忽然又站了起来，道："我要出去一下。"

楚留香忍不住问她："到哪里去？"

张洁洁就弯下腰，脸贴着他的脸，附在他耳边悄悄地道："我要出去清肚子里的存货，才好多装点鱼翅。"

酒楼里这么多人，她的脸贴得这么近，连楚留香都不禁有点脸红了。

直到现在为止，他还觉得别人好像全都在看着他。

他心里只觉得甜甜的。

一个女孩子，若非已全心全意地爱着你，又怎么会在大庭广众间跟你亲热呢？

除了楚留香之外，张洁洁的眼睛里好像就看不到第二个人了。

楚留香又何尝去注意过别的人？

可是现在鱼翅已经快冷了，她为什么还没有回来？

女孩子做事，为什么总要比男人慢半拍？

楚留香叹了口气，抬起头，忽然看到两个人从门外走进来。

两个老人，一个老头子，一个老太太。

老头子戴着顶很滑稽的黄麻高冠，脸上的神情却很庄严。

楚留香忽然发现了这两人就是他刚才在那小镇上看到的那对夫妻。

他们刚才还在那小镇上踱着方步，现在忽然间也到了这里。

他们是怎么来的？来干什么？

楚留香本来觉得很惊奇，但立刻就想通了："那镇上马车又不止一辆，我们能坐车赶着来吃鱼翅，人家为什么不能？"

他自己对自己笑了笑，决定不再管别人的闲事。

谁知这一对夫妻却好像早已决定要来找他，居然笔直走到他面前来，而且就在他对面的椅子上坐下。

楚留香怔住了。

他忽然发现这老人一直在盯着他，不但脸色很严肃，一双眼睛也是冷冰冰的，就好像正看着个冤家对头一样。

楚留香勉强笑了笑，道："两位是来找人的？"

麻冠老人道："哼。"

楚留香道："两位找谁？"

麻冠老人道："哼。"

楚留香道：“我好像从来没有见过两位？”

麻冠老人道：“哼。”

楚留香不再问了，他已明白两人来找的是什么。

他们是来找麻烦的。

楚留香叹了口气，就算他不去找别人，别人迟早也会来找他的。这一点他也早已料到，只不过没有料到来得这么快而已。

现在他只希望张洁洁快点回来，只想让张洁洁亲眼看到，并不是他要去找别人，而是别人要来找他。

以前他好像不是这样子的。

以前他做事，只问这件事该不该做，能不能做，从来不想让别人看见，也不想让别人知道。

张洁洁在他心目中的地位，几时变成如此重要了呢？

楚留香又觉得自己的心乱极了。

他过的一向是无拘无束、自由自在的日子，可是现在他心里却已有了牵挂，要想放下，又放不下。就算放得下，也舍不得放下。

麻冠老人一直在冷冷地看着他，忽然道：“你不必等了。”

楚留香道：“不必等什么？”

麻冠老人道：“不必再等那个人回来！”

楚留香道：“你知道我在等谁？”

麻冠老人道：“无论你在等谁，她都已绝不会再回来。”

楚留香的心好像一下子被抽紧：“你知道她不会再回来？”

麻冠老人道：“我知道。”

楚留香倒了杯酒，慢慢地喝下去，忽又笑了笑，道：“你知道的事好像不少。”

麻冠老人道：“我不知道的事很少。”

楚留香道：“至少有一件事你还不知道。”

麻冠老人道："什么事？"

楚留香道："我的脾气你还不知道。"

麻冠老人道："哦？"

楚留香又喝了杯酒，淡淡道："我的脾气很特别，别人若叫我不要去做一件事，我就偏偏要去做。"

麻冠老人沉下了脸，道："你一定要等她？"

楚留香道："一定要等。"

麻冠老人道："她若不回来，你就要去找她？"

楚留香道："非找不可。"

麻冠老人霍然长身而起，冷冷道："出去。"

楚留香淡淡道："我好好地在这里等人，为什么要出去？"

麻冠老人道："因为我叫你出去。"

楚留香又笑了笑，道："那么我就偏偏不出去。"

麻冠老人的瞳孔突然收缩，慢慢地点了点头，冷笑道："好，你很好。"

楚留香微笑道："我本来就不错！"

麻冠老人道："但这次你却错了。"

他突然伸出了手。

这只手枯瘦，蜡黄，就好像已被埋葬了很久的死人一样，无论怎么看，也不像是一只活人手。

他的脸也带着种无法描述的死灰色，楚留香也从未看过任何一个活人像他这种脸色。

甚至连他头上戴的那顶黄麻冠，现在看来也一点都不滑稽了。

那老太太还是静静地坐着，仿佛很温顺，很安详，但你若仔细去看一看，就会发现她一双眼睛竟是惨碧色的，就像是冷夜里坟间的鬼火。

直到现在，楚留香才真正看清了这两个人。

他本该早已看清了，他的眼睛本就不比世上任何人差。

但这次却是例外。

至少有七八个人都比他先看出了这老夫妻的神秘和诡异，他们一走过，这地方那七八个人立刻就站起来，悄悄地结了账，悄悄地溜了出去，就好像生怕他们会为别人带来某种不祥的灾祸，致命的瘟疫。

虽然谁也不知道他们是什么人，是从哪里来的。

也许他们根本就不是从人世间任何一个地方来的。

你有没有听见过死人自坟墓中复活的故事?

枯黄的手慢慢地从袖子里伸了出来，慢慢地向楚留香伸了过去。

也许这根本不是手，是鬼爪。

楚留香居然还笑了笑，道："你想喝酒？"

他忽然将手里的酒杯送了过去。

这时他总算已勉强使自己冷静了些，所以看得很准，算得也很准。

所以这杯酒恰巧送到了麻冠老人的手里。

酒杯是空的，楚留香手里的酒杯，时常都是空的。

麻冠老人手里忽然多了个酒杯，也不能不觉得有点吃惊。

就在这时，"砰"的一声，酒杯已粉碎——并不是碎成一片一片的，而是真的粉碎。

白瓷的酒杯已经变成了一堆粉末，白雪般从他掌握间落了下来，落在那一碗又红又亮的红烧鱼翅上。

这老人手上显然已蓄满内力。

好可怕的内力。

一个人的骨头若被这只手捏住，岂非也同样会被捏得粉碎?

他手没有停，好像正想来抓楚留香的骨头，随便哪根骨头都行。

随便哪根骨头都不能被他抓住。

楚留香忽然举起了面前的筷子，伸出筷子来一夹，已夹住了两根手指。

他的动作真快，但筷子断得也不慢。

“啪、啪、啪”一根筷子已断成了三截。

无论什么东西，只要一沾上这只手，好像就立刻会断的。

麻冠老人仍冷冷地看着他，冷冷道：“站起来，出去！”

楚留香偏不站起来，偏不出去。

可是他的骨头也一样会断的。

手已快伸到了楚留香面前，距离他的骨头已不及一尺。

他本来可以闪避，可以走的。

这老人无论是人是鬼，都休想追得到他。

但也不知为了什么，他偏偏不肯走，就好像生怕被张洁洁看见他临阵脱逃一样。

他已准备和这老人拼一拼内力。

年轻人的力气当然比死老头子强些，但内力并不是力气。

内力要练得愈久，才会愈深厚。

这一点楚留香实在完全没有把握，他本来从不做没有把握的事。

但这次他却偏偏犯了牛脾气。

忽然间，两双手已贴在一起。

楚留香立刻觉得自己手里好像握住了一个烙铁似的。

然后他坐着的椅子就“吱吱”地响了起来。

那老太太忽然摇了摇头，叹了口气，喃喃道：“这张椅子看来至少要值二两银子一张，可惜可惜。”

她喃喃自语着，从怀里掏出个已变了色的绣花荷包，拿出了两个小银锞子，回头向店小二招了招手，道："这是赔你们椅子的钱，拿去。"

店小二早已看得脸色发青，眼睛发直，正不知道过去接下的好，还是不接的好。

就在这时，只听"啪"的一声，楚留香坐着的椅子，已然裂了开来。

他虽然还能勉强悬立坐着，但手上的压力已愈来愈大，实在已没法子支持下去，也没法子站得起来。

这老人手上的压力，竟比他想象中还要可怕得多。

他身上被压得愈来愈低，忽然间，老人手上的力量竟全没有了，楚留香不由自主一屁股坐下，居然又坐在一张椅子上。

这张椅子就好像突然从地下长出来的。

他回过头，就看到了张洁洁。

张洁洁终于回来了，正微笑着，站在楚留香身后，道："这位老先生为什么不请坐呀，难道也怕这里的椅子不太结实吗？"

麻冠老人的脸色更难看，却居然还是慢慢地坐了下来。

张洁洁手扶着楚留香的肩，笑道："我不知道你在这里也有认识的朋友。"

楚留香正勉强在使自己的脸色看起来好看些，他实在不愿意别人也将他当作个刚从棺材里爬出来的活鬼。

然后他才摇摇头。

张洁洁道："你摇头是什么意思？"

楚留香笑了笑，淡淡道："摇头的意思就是，我以前没有见过他们，以后也不想再见到。"

张洁洁脸上也露出很惊讶的表情，道："你不认得他们？"

楚留香道：“不认得。”

他本来想说句“他妈的，活见鬼”这一类的话，但总算勉强忍住。

张洁洁瞪着眼，道：“那么你们来干什么呢？难道是来找我的？”

麻冠老人凝视着她，终于慢慢地摇了摇头，道：“不是，我不是来找你的。”

然后他就慢慢地转过身，慢慢地走了出去。

那位老太太刚想跟着他走，张洁洁忽然又道：“等一等。”

两个人已然全都停下来等。

张洁洁道：“是谁在我鱼翅上撒了这么多盐，一定咸死了，快赔给我。”

老人没有说话，老太太又从那荷包里拿出两个小银锞子，放在桌上，拖起老头子的手，慢慢地走了出去。

一眨眼间，他们就消失在门外的人丛中，就好像从来也没有出现过一样。

张洁洁笑了，大声道：“再来一盆红烧鱼翅，要最好的排翅，我已经快饿疯了。”

你无论怎么看，也绝对看不出张洁洁像是个快饿疯了的人。

她看起来不但笑得兴高采烈，而且容光焕发，新鲜得恰恰就像是刚剥开的硬壳果。

这也许只因为她已换了身衣服。

雪白的衣服，光滑而柔软。

楚留香盯着她，盯着她这件雪白的衣服，就像是从来也没有见过女孩子穿白衣服一样。

张洁洁又笑了，嫣然道：“你没有想到我会去换衣服吧？”

楚留香嘴里喃喃地在说话，谁也听不出他在说些什么。

张洁洁笑得更甜，柔声道："女为悦己者容，这句话你懂不懂？"

楚留香在摸鼻子。

张洁洁道："这身衣服好不好看？你喜欢还是不喜欢？"

楚留香突然道："我真他妈的喜欢得要命。"

张洁洁瞪大了眼睛，好像很惊奇，道："你在生气？生谁的气？"

楚留香开始找杯子要喝酒。

张洁洁忽又嫣然一笑，道："我明白了，你一定以为我又溜了，怕我不回来，所以你在自己生自己的气，但现在我已经回来了，你还气什么？"

楚留香道："哼。"

张洁洁垂下头，道："你若真的不喜欢我这身衣服，我就脱下来，马上就脱下来。"

楚留香突然放下酒杯，一下子拦腰抱住了她。

张洁洁又惊又喜，道："你……你疯了，快放手，难道你不怕人家看了笑话？"

楚留香根本不理她，抱起她就往外走。

张洁洁吃吃地笑着，道："我的鱼翅……我的鱼翅已来了……"

鱼翅的确已送来了。

端着鱼翅的店小二，看到他们的这种样子，瞪大了眼睛，张大了嘴，连下巴都好像已快掉了下来。

下巴当然不会真的掉下来，但他手里的鱼翅却真的掉了下来。

"砰"的一声，一盆鱼翅已跌得粉碎。

张洁洁叹了口气，闭上眼睛，喃喃道："看来我今天命中注定是吃不到鱼翅的了！"

她眼珠子一转，又笑道："鱼翅虽然吃不到，幸好还有只现成的猪耳朵在这里，正好拿来当点心。”

她忽然一口咬住了楚留香的耳朵。

她咬得很轻，很轻……

楚留香常常摸鼻子，却很少摸耳朵。

事实上，除了刚被人咬过一口的时候，他根本就不摸耳朵。

现在他正在摸耳朵。

他耳朵上面有两只手——另外一只手当然是张洁洁的。

张洁洁轻轻摸着他的耳朵，柔声道：“我刚才咬得疼不疼？”

楚留香道：“不疼，下面还要加两个字。”

张洁洁道：“加两个字？”

楚留香道：“才怪。”

张洁洁笑了，她娇笑着压在他身上，往他耳朵里吹气。

楚留香本来还装着不在乎的样子，忽然憋不住了，笑得整个人都缩成了一团，一跤从床上跌了下来。

张洁洁喘息着，吃吃地笑道：“你只要敢再故意气我，我就真的把你耳朵切成丝，再浇点胡椒麻油做成麻油耳丝吃下去。”

楚留香捧着肚子大笑，忽然一伸手，把她也从床上拉了下来。

两个人一起滚在地上，笑成了一团。

忽然间，两个人又完全都不笑了——是不是因为他们的嘴已被堵住？

但屋子里还是很久很久都没有安静，等到屋子里安静下来的时候，他们的人已又回到床上。

夏夜的微风轻吹着窗户，星光穿透窗纸，照在张洁洁白玉般的腰肢上。

她腰肢上怎么会有一粒粒晶莹的汗珠？

也不知过了多久，她才轻轻叹了口气，道：“我若告诉你，你是我第一个男人，也是最后一个男人，你信不信？”

楚留香道：“我信。”

张洁洁道：“那么你刚才为什么要怀疑我，认为我不会回来了？”

楚留香道：“我没有怀疑你，是他们说的。”

张洁洁道：“他们？”

楚留香道：“就是那个活鬼投胎的老头子和老太婆。”

张洁洁道：“你为什么要相信他们的鬼话？”

楚留香叹了口气，道：“我并没有相信他们的话……只是有点紧张。”

张洁洁道：“紧张什么？”

楚留香道：“我虽然明知你一定会回来，却还是怕你不回来，因为……”

他忽又将张洁洁紧抱在怀里，轻轻道：“因为你假如真的不回来，我简直就不知道应该到什么地方去找你。”

张洁洁看着他，眼波温柔如春水，道：“你真的把我看得那么重要？”

楚留香道：“真的，真的，真的……”

张洁洁忽然将头埋在怀里，咬他，骂他：“你这笨蛋，你这呆子，你简直是混蛋加三级，你难道还看不出我对你有多好？现在你就算用棍子赶我，也赶不走的了。”

她骂得很重，咬得很轻，她又笑又骂，也不知是爱是恨，是笑是哭。

楚留香的心已融化，化成了流水，化成了轻烟，化成了春风。

张洁洁道：“其实怕的应该是我，不是你。”

楚留香道：“你怕什么？”

张洁洁道：“怕你变心，怕你后悔。”

她忽然坐起来，咬着嘴唇道："我知道你不但有很多女人，也有很多朋友，他们也都是你丢不开、放不下的人，现在你虽然跟我走了，将来一定会后悔的。"

楚留香没有再说话，只是痴痴地看着她。

他看的并不是她迷人的眼睛，也不是她玲珑的鼻子和嘴。

他看的是什么地方？

张洁洁的脸忽然红了，身子又缩起，用力去推他，道："你出去，我要……我要……"

楚留香瞪瞪眼，道："你要干什么？"

张洁洁红着脸道："你这赖皮鬼，你明明知道的，还不快带着你这双瞎眼睛出去。"

楚留香道："这么晚了，你叫我滚到哪里去？"

张洁洁眼珠子一转，嫣然道："去替我买鱼翅回来，现在我真的饿疯了。"

楚留香苦笑道："这么晚了，你叫我到哪里去买鱼翅？"

张洁洁故意板起脸，道："我不管，只要你敢不带着鱼翅回来，小心你耳朵变成麻油耳丝。"

这就是楚留香最后听到她说的一句话。

他永远想不到，听过这句话之后，再隔多久才能听到她的声音。

第九章

玉人何处

楚留香捧着鱼翅回来时，张洁洁已不见了。

她的人虽然走了，可是她的风采，她的感情，她的香甜，却仿佛依旧还留在枕上，留在衾中，留在这屋子的每一个角落里。

楚留香的心里，眼里，脑海里，依旧还是能感觉到她的存在。

她很快就会回来的。一定很快。

楚留香翻了个身，尽量放松了四肢，享受着枕上的余香。

他心里充满了温馨和满足。

因为他依旧可以呼吸到她，依旧可以感觉到她。

因为他知道她一定会回来的。

所以连寂寞的等待都变成了种甜蜜的享受。

枕上有根头发。

是她的头发，又长，又柔软，又光亮，就像是她的情丝一样。

他将发丝紧紧缠在手指上，也已将情丝紧紧地缠在心上。

可是她没有回来。

枕已冷，衾已寒，她还是没有回来。

长夜已尽，曙色已染白窗纸，她还是没有回来。

他睡着，又醒来，他辗转反侧。她还是没有回来。

光明虽已来临，但屋子里却忽然变得说不出的寒冷寂寞。

她到哪里去了？为什么还不回来？

“为什么？为什么……”

楚留香无法解释，也无法想象。

“难道她从此就已从世上消失？难道我已永远见不着她？”

他不能相信，不敢相信，也拒绝相信。

“这绝不会是真的！”

“我一定可以等到她回来，一定可以！”

可是他没有等到。

时间过得真慢，慢得令人疯狂，每一次日影移动，每一次风吹窗户，他都以为是她回来了。

可是真等到暮色又降临大地，他还是没有看到她的影子。

“难道她真的已不辞而别？”

“难道她那些甜言蜜语，山盟海誓，只不过是要我留下一段永难忘怀的痛苦？”

“她为什么要这么做？为什么要骗我？”

楚留香本不是个多愁善感的人，无论对什么事都看得开。

无论是相聚也好，抑或是别离也好，他一向都很看得开。

因为人生本已如此短促，相聚又能有多长？别离又能有多长？

既然来也匆匆，既然去也匆匆，又何必看得那么严重？

但现在，他已知道错了。

有的人与人之间，就像是流星一般，纵然是一瞬间的相遇，也会迸发出令人炫目的火花。

火花虽然有熄灭的时候，但在蓦然间造成的影响和震动，却是永远难以忘记的，有时那甚至可以令你终生痛苦。

有时那甚至可以毁了你。

楚留香虽然看得开，却并不是无情的人。

也许就因为他的情太多，太浓，一发就不可收拾，所以平时才总是要作出无情的样子。

但世上又有谁能真的无情呢？

楚留香慢慢地站了起来，慢慢地走到窗口。

推开窗子，晚霞满天。

满天晚霞忽然间一齐涌入他的心，他激动得全身都颤抖起来。

“不管你在哪里，我都一定要找到你。”

他发誓一定要找到她，问个清楚！

可是，到哪里去找呢？

她是在天之涯，是在海之角，还是在虚无缥缈的云山之间？

没有人知道她是从哪里来的，也没有人知道她去了哪里。

也许她根本就不是这尘世中的人。

楚留香找得很苦。

每一个她出现过的地方，他都去找过。

有时她出现在小山上，有时她出现在浓荫间，有时她甚至出现在水盆里。

你叫楚留香如何去找？

他瘦了，也累了，脸上已失去了昔日那种足以令仇敌胆寒、令少女心醉的神采。

可是他不在乎。

因为他真正的痛苦，是在心里。

他从不知道世上竟有如此深邃的痛苦。

“世上难道真的没有一个人知道她的下落？”

他忽然想到了金四爷。

他立刻去找，另一个黄昏后，他又走到那道高墙。

同样的夜色，同样的月色，但他的心却已完全不同。

想到那天晚上，她牵着他的手，走到这里来的时候，他的心就仿佛突然变得空空荡荡的，整个人都仿佛变得空空荡荡的，没有着落。

他没有掠上墙头，只沿着墙脚，慢慢地走。

转过墙角就可以看到金家的大门。

一队灰衣白袜的僧人，正垂眉敛目，慢慢地走入了金家的大门。

七八个小沙弥，手里捧着做丧事的法器，垂着头跟在他们身后。

那站在门侧相迎的，是个满面悲容、白发苍苍的老人。

这老人赫然竟是金四爷。

只过了几天，他为什么已老了这么多？

他昔日咄咄逼人、不可一世的气概，如今到哪里去了？

这里究竟发生了什么可怕的变故？

楚留香远远地站着，远远地看着，心里忽然明白。

那死的人必定就是金姑娘，必定就是那美丽如天仙，却活在地狱中的女孩子。

她终于已找到了自己的解脱——只有死才是她的解脱。

也许她死了以后比活着时更快乐。

可是她的父亲呢？

这江南武林的领袖，这不可一世的英雄，手里虽然掌握可以改变很多人命运的财富和权势，但还是无法改变他女儿的命运。

他就算用尽所有的财富和权势，也还是无法使他的独生女儿活下去。

这不但是他自己的悲剧，也是所有人类的悲剧。

楚留香的心沉了下去，沉得更深。

他本是来找金四爷的。

可是他现在看到了金四爷，却只是悄悄地转过身，悄悄地走了。

他不停地往前走。

他忽然发现前面有一条清澈的流水，阻住了他的去路。

天上有月，水中也有月。

楚留香痴痴地站在那里，低下头，痴痴地看着水中的明月。

他忽然觉得世上有件事，就正如水中的月一样。

水中明明有月，你明明可以看到它，可是，等你想去捕捉它时，你不但一定会捕个空，而且可能跌到水里去。

甚至可能被淹死。

楚留香没有再去捕捉水中的月，因为他已捕捉过一次。

他已得到了一次很悲惨的教训。

只不过现在水中依然有月，他依然可以看得到。

张洁洁呢?

他从此再也看不到她了。

难道她也像是这水中的月一样，根本就从未真的存在过?

第十章

神秘老妪

夜更冷，水也更冷。

楚留香伏在地上，将头埋入冰冷的流水里。

他想使自己清醒些，他实在需要清醒些。

水流过他的脸，流过他的头发，他忽然想到胡铁花说的一句话。

“酒唯一比水好的地方，就是酒永远不会使人太清醒。”

胡铁花说的话，永远是这样子的，好像很不通，又好像很有道理。

奇怪的是，他在这种时候，想到的既不是那个死去了的女孩子，也不是张洁洁，而是胡铁花。

因为他只有在胡铁花面前，才能将自己所有的痛苦完全说出来。

因为他的痛苦只有胡铁花才能了解。

因为胡铁花是他的朋友。

“我为什么不去找他？”

楚留香抬起头，忽然发现水中的月已看不见了。

清澈的流水上，不知何时已升起了一片凄迷如烟的薄雾。

水在流动，雾也在流动。

他忽然发现流动如烟的水中，不知何时已出现了一条黑色的人影。

这人就像是随着这阵神秘的烟雾同时出现的。

楚留香回过头，谁知在这时，他身后已响起了一个人的声音。

苍老，嘶哑，低沉，却带着种魔咒般力量的声音，一字字地道：“不许回头，否则就永远休想找到她！”

这句话实在比世上所有的魔咒更有魔力。

楚留香要回头的时候，没有人能令他不回头，但，现在世上所有的力量，也绝对无法使他回过头去。

水里的黑影仿佛明显了些，看来仿佛是个白发苍苍的老妪，手里仿佛还拄着根很长的拐杖。

楚留香忍不住道：“你知道我找的人是谁？”

黑衣老妪道：“你找的是个你本已永远无法找到的人。”

楚留香道：“你……你是谁？”

黑衣老妪道：“我是唯一可以帮你找到她的人。”

楚留香全身冰冷，但心中却已火一般燃烧起来，道：“你知道她在哪里？”

黑衣老妪道：“只有我知道。”

楚留香道：“你能不能告诉我？”

黑衣老妪道：“不能，我只能帮你找到她，但那也不是件容易的事。”

楚留香握紧双拳，几乎已连声音都无法发出。

黑衣老妪道：“你怕不怕吃苦？”

楚留香道：“不怕。”

黑衣老妪道：“你怕不怕死？”

楚留香道：“有时怕……”

黑衣老妪道：“但为了找她，你连死都不怕？”

楚留香道：“是。”

黑衣老妪忽然轻轻叹息了一声，道：“我果然没有看错你，你的确是个值得我帮助的人。”

楚留香道：“你……”

黑衣老妪忽又打断了他的话，道：“我问你这些话，只因为我要你明白，只有不怕吃苦，连死都不怕的人，才能找得到她。”

楚留香道：“我……我已明白。”

黑衣老妪仿佛在慢慢地点着头，过了很久，才缓缓道：“这世上有一家很神秘的人，有人说他们是从天涯来的，有人说他们是从海角来的，有人说他们来自滴水成冰的雪原，也有人说他们来自飞鸟绝迹的荒漠，其实……”

她说话的声音更低，更慢，接着道：“其实世上根本没有人知道他们是从哪里来的。”

楚留香道：“你说的是那家姓麻的人？”

黑衣老妪道：“有人说他们姓麻，也有人说他们不姓麻，其实……”

楚留香道：“其实世上根本就没有人知道他们真的姓什么。”

黑衣老妪道：“不错。”

楚留香道：“他们和张洁洁难道有什么关系？”

黑衣老妪没有回答这句话，又过了很久，才缓缓地道：“你既然知道这家人，想必也知道他们住在什么地方？”

楚留香点点头，道：“相传他们就住在那里的大山上，一个神秘的山洞里，但从来没有人见过他们，也没有人敢去找过。”

黑衣老妪冷冷道：“有人找过，但从没有人回来过。”

楚留香长长吐出口气，道：“现在你就要我去找他们？”

黑衣老妪道：“你不敢去？”

楚留香道：“只要能找到她，什么地方我都去。”

黑衣老妪道：“此去若不能回来，你也不后悔？”

楚留香道：“到那时后悔又有什么用？”

黑衣老妪道：“我问的并不是有没有用，只问你后悔不后悔。”

楚留香叹了口气，道：“绝不后悔！”

黑衣老妪道：“既然不后悔，为什么要叹气？”

楚留香说不出话来了。他当然不能告诉她，他叹气，只因为他觉得她问的话太啰唆。有些话根本就不必再问，她却偏偏要问，而且问了一次还不够，还要再问。

本来他不能确定这水中的人影是不是真的很老，现在却已连一点疑问都没有。

人类中最啰唆的，一定是女人，女人中最啰唆的，一定是老太婆。

这道理也是毫无疑问的。

无论她是个什么样的人，无论她有多高的身份和地位，无论她多么神秘，多么可怕！

但老太婆就是老太婆。

男人最大的不幸，也许就是在你明明已急得要命的时候，却偏偏遇上了个老太婆，偏偏还要反复问你一些莫名其妙的话，你却偏偏还非回答不可。

在这种时候，你除了叹息之外，还能说什么？

黑衣老妪这次居然没有强迫他回答。

她自己好像也轻轻叹息了一声，缓缓道：“现在也许会觉得我问的话太多，但以后你就会明白，我问的这些话并不是多余的。”

楚留香只有听着。

黑衣老妪道：“现在我问你最后一句，假如你已知道这一去，永不复返，你是不是还要去？”

楚留香道：“去。”

黑衣老妪道：“好，那么你就去吧，去找那些姓麻的人。”

楚留香忍不住道：“但我要找的并不是他们，我要找的是张洁洁。”

黑衣老妪道："我明白。"

楚留香道："可是直到现在，你还没有告诉我，张洁洁跟他们有什么关系？"

黑衣老妪道："我没有。"

楚留香道："你也没有告诉我她在哪里。"

黑衣老妪道："我也没有。"

楚留香苦笑道："你告诉我的究竟是什么呢？"

黑衣老妪的人影在水中波动，缓缓道："我什么也没有告诉你，只不过要你到他们那里去，找到他们的圣坛。"

楚留香道："圣坛？"

黑衣老妪道："圣坛就在你知道的那山洞里。"

楚留香道："那是个什么样的地方？"

黑衣老妪道："没有人知道，除了他们自已外，从没有别的人去过。"

她的声音更缥缈，更遥远，慢慢地接着道："他们信奉的，是种很神秘的宗教，他们的神，就在他们的圣坛里，那不但是他们的圣地，也是他们的禁地，绝不许外人踏入一步。"

楚留香道："但现在你却要我去？"

黑衣老妪道："你非去不可，因为只有他们的神，才能告诉你张洁洁的消息。"

楚留香道："他们的神？"

黑衣老妪道："你不信他们的神？"

楚留香道："我愿意相信，但我只不过是个凡人，神怎么能和我这凡人互通消息？"

黑衣老妪道："别的神不能，他们的神却能。"

楚留香道："为什么？"

黑衣老妪道："因为他们的神，和别的神不同。"

楚留香道："有什么不同？"

黑衣老妪道："他们的神既不是偶像，也不是仙灵，他们的神是生神，你不但可以看得见他的形象，也可以听得到他的声音。"

楚留香道："我能找得到他？"

黑衣老妪道："那就得看你，是不是能到他们的圣坛里去。"

楚留香道："要怎么样才能到他们的圣坛里去？"

黑衣老妪道："要用你的智慧，用你的勇气，但最重要的，还是要有不惜牺牲一切的决心，你去之前，就得准备将你在红尘中所拥有的一切全都放弃，然后……"

她的声音冷得就像天涯外的冰雪，冷得令人的血液都凝结。

楚留香咬紧牙，道："然后怎么样？"

黑衣老妪道："然后你就可以不顾一切，不择手段……"

她声音忽又热得像地狱中的火焰，接道："你可以用尽一切手段，无论多卑鄙的手段都无妨，只要你能到得了他们的圣坛，看到他们的神，他们就绝不能再伤害你。"

楚留香道："可是……"

黑衣老妪忽又打断了他的话，道："可是还有一件事，你必须记着。"

楚留香道："什么事？"

黑衣老妪道："你可以用计谋令他们上当，用棍子将他们击倒，甚至用暗器，用迷药都没有关系，但千万不能要他们其中任何一个人流血。"

她一字字接着道："只要你身上沾着他们的一滴血，就必定会后悔终生……现在你已经知道一切，若不去了，也必将后悔终生。"

风并不太冷，水也并不太冷。

但楚留香却忍不住激灵灵打了个冷战。

他很少有所恐惧，但这黑衣老妪的声音中，却仿佛带着种神秘的魔力，仿佛只要她的一句诅咒就可以改变你一生的命运。

楚留香这一生的命运，是不是已由此改变了呢？

他不知道。

就因为不知道，所以恐惧。

这黑衣老妪说的话究竟是真是假，他也不知道。但他却似已不能不相信，也不敢不相信。

他的智慧和意志仿佛已被某种神秘的力量控制，那既不是人的力量，也不是神的力量。

而是一种妖异诡秘的魔力。

“那不是魔力！”

胡铁花端端正正地坐着，看着对面的楚留香，眼睛里全无醉意。他已有很久未曾如此清醒过。

你若有个好朋友，花了两天的工夫来找你，脸上带着种你从未见过的疲倦和表情……那么你就算是个超级酒鬼，也会尽量想法子使自己保持清醒的。

胡铁花的眼睛不但清醒，而且显得更坚定，看着楚留香缓缓道：“那绝不是什么见鬼魔力。”

楚留香道：“为什么不是？”

胡铁花道：“因为天底下绝没有任何一个妖魔鬼怪能降得住你。”

楚留香道：“哦？”

胡铁花道：“你变成这种迷迷糊糊、服服帖帖的样子，只不过为了一件事。”

楚留香道：“哪件事？”

胡铁花道：“你他妈的真爱上了那小妖精。”

楚留香垂下了头。

他的确很疲倦，这两天，他几乎没有合过眼——无论谁要找到胡铁花，都绝不是件容易事。

他也没法子反驳胡铁花的话。

世上又有什么力量，能比爱情的力量更可怕呢？

胡铁花道：“没有人去过的圣坛，会说话的神……你真相信这些鬼话？”

楚留香握紧双手，道：“这绝不是鬼话。”

胡铁花冷冷道：“那老太婆是不是个活鬼呢？”

楚留香道：“不是。”

胡铁花道：“你怎么知道她是人是鬼？你根本没有真的看见她。”

楚留香的确没有。

他看见的，只不过是她水中的影子……

烟水凄迷。

水中的人影就像是风中的鬼魂。

忽然间，也不知从哪里吹来了一阵强风，吹得水面起了一阵阵涟漪。

人影就消失在涟漪里。

等到水波平静时，人影也不见了……

胡铁花道：“那老妖精就这样不见了？”

楚留香道：“嗯。”

胡铁花道：“难道你从头到尾，都没有回头去看一眼？”

楚留香道：“没有。”

胡铁花道："开始时你不敢回头，是因为怕她不肯说张洁洁的消息？"

楚留香道："不错。"

胡铁花道："但等她说出来之后，你为什么还不回头去看看呢？"

楚留香道："我……我也不知道为了什么！"

等他回头看时，后面已没有人。

水中的人影消失时，那黑衣老妪的人也已消失，也不知道消失在水里，还是消失在风里。

也不知是真的有她这么样一个人来过，还是只有水中那一条鬼般的影子。

但没有人，又怎会有影子？

胡铁花瞪着楚留香，瞪了很久，才长长叹了口气，道："你这人的确有点变了！"

楚留香道："哦？"

胡铁花道："不是有点变，是变得很厉害。以前你就算打死我，我也不相信你会变成这样。"

楚留香苦笑道："我现在是什么样子？"

胡铁花道："一副垂头丧气，无精打采的样子，一副叫我看着生气的样子。"

他忽然一拍桌子，道："那个老太婆也许并不是个老妖怪，但张洁洁却不折不扣是个小妖怪。"

楚留香道："她不是……"

胡铁花大声道："她不是谁是？若不是她，你怎会变成这样子？"

楚留香道："可是……你也不能怪她。"

胡铁花道："不怪她怪谁？"

楚留香道："这究竟是怎么回事，到现在还没有人知道，你怎么能怪她？”

胡铁花道：“所以你还是要去找她？”

楚留香不说话，不说话的意思通常就是承认。

胡铁花道：“为了要找她，你真的不惜放弃一切，牺牲一切？”

楚留香道：“我……”

胡铁花道：“你真舍得放弃你那条船？那些陈年的波斯葡萄酒？还有你拼了十几年命才换来的一点名声？”

他愈说声音愈大，忽然跳起来大声道：“就算这些东西你全可以不要，难道连朋友也不要？”

楚留香不说话。

不说话的意思，也并不一定就是承认。

胡铁花又瞪了他很久，整个人忽又倒在椅子上，叹息着道：“其实我当然知道，朋友你还是要的，否则你又怎会辛辛苦苦地来找我？”

楚留香还是没有说话，因为他已用不着再说。

只要你真正能够了解友情的存在，就什么都不必再说。

又过了很久，胡铁花才慢慢地接着道：“但你最好莫要忘记，除我之外，你还有很多朋友！”

楚留香当然不会忘记。

谁能忘得了苏蓉蓉、宋甜儿、李红袖？

胡铁花道：“她们天天都在等着你，甚至比我更关心你，你难道不明白？”

楚留香道：“我明白。”

胡铁花道：“我也知道你绝不会不要这些朋友，但你这一去，却真的可能永远回不来了。”

楚留香道：“我……我会回来的。”

胡铁花道：“你用不着骗我，那些人的传说，我也听说过。据我所知，世上比他们更可怕的人，只怕连一个都没有。”

楚留香道：“哦？”

胡铁花道：“因为石观音、水母阴姬、血衣人，他们无论多厉害，也只不过是一个人而已，他们却是一家人，据说每个人的武功都已出神入化！”

楚留香道：“传说是传说，其实……并没有人真的看见过。”

胡铁花沉声道：“就因为没有人见过，所以才更可怕。”

他不让楚留香说话，接着道：“但最可怕的人，还不是他们的人，而是他们住的那山洞。”

楚留香道：“为什么？”

胡铁花道：“因为谁也不知道那山洞里究竟有什么机关，什么埋伏。”

楚留香勉强笑了笑，道：“连蝙蝠岛那样的山洞，我都去过，还有什么别的地方不能去？”

胡铁花道：“莫忘记那次你是多少人去的。若没有华真真，那次你就休想能回来。”

他大声接着道：“这次你还能找得到华真真那样的人陪你去吗？我……”

楚留香打断了他的话，道：“就算找得到，我也不能让她陪我去。”

胡铁花道：“为什么？”

楚留香道：“因为这件事只能由我一个人去做，否则……”

胡铁花抢着道：“否则你就永远休想再见到张洁洁了？”

楚留香叹息着，点了点头。

胡铁花道：“这话也是那老太婆说的？”

楚留香道：“不错。”

胡铁花道：“所以你准备一个人去，去对付他们一家人，连我都不能陪你去？”

楚留香道：“不错。”

胡铁花冷笑道：“你以为你是什么人？是个三头六臂的活神仙？”

楚留香道：“我不是。”

胡铁花道：“但你还是非去不可？”

楚留香道：“是。”

胡铁花道：“她真的值得你这么样做？”

楚留香面上露出痛苦之色，黯然道：“不管她值不值得，我都一定要这么样做。”

胡铁花道：“为什么？”

楚留香道：“因为我一定要找到这件事的真相，一定要查出那个人究竟是谁，你若是我，我相信你也一定会这么样做的。”

胡铁花忽然说不出话来了。

楚留香也不再说什么，沉默了半晌，就慢慢地站起来，走过去，用力握了握他的手，然后就猝然转身大步走了出去。

他的脚步还是很稳健，但也很沉重。

胡铁花并没有站起来送他，甚至连看都没有看他。

门外一片黑暗。

无星无月，他的人已消失在黑暗中。

然后胡铁花才转过头，凝视着这一片黑暗，他耳旁仿佛也响起了那老妪的魔咒：“……你若去了，就得决心放弃你在红尘中所拥有的一切……”

“……你若不去，也必将终生痛苦……”

“这一去纵然永不复返，你也不能后悔……”

现在楚留香终于去了。

他究竟走上了条什么样的路？

是不是有去无回的路？

胡铁花不知道……没有人知道。

他只能感觉到冷汗正一粒粒从他额上沁出，慢慢地沿着他鼻侧流下来。

他只知道楚留香这一去，无论是不是能回得来，都一定会受到很多折磨，很多痛苦。

危险在他们看来，并没有什么了不起，可是有些折磨和痛苦，都是不能忍受的。

胡铁花突然跳了起来，放声大呼："你若是胡铁花，你能不能就这么样看着楚留香走上这么一条绝路？"

第十一章

山在虚无缥缈中

山，山巅。

山巅在群山中，在白云间。

云像轻烟般缥缈，雾也像轻烟般缥缈，群山却在烟雾中，又仿佛是真，又仿佛是幻。

只有这清澈的流水，才是真实的，因为楚留香就在溪水边。

他沿着流水往上走，现在已到了尽头。

一道奔泉，玉龙般从山巅上倒挂下来，溅起了满天珠玉。

这正是苍天的大手笔，否则还有谁能画得出这一幅雄壮瑰丽的图画？

古老相传，就在这流水尽头处，有一处洞天福地，隐居着武林中最神秘的一家人。没有人知道他们的行踪，更没有人知道他们的来历。

现在，这已是流水的尽头，传说中那神秘的洞天在哪里？

楚留香还是看不见。

“难道这一道飞泉，就是苍天特意在他们洞门前悬挂起的珠帘？”楚留香走过去，又停下。

就算这飞泉后就是他们洞府的门户，他也不能就这样走进去。

若没有某种神秘的魔咒，又怎能喝叫开这神秘的门户？

青石上长满了苍苔，楚留香在石上坐了下来。

他脸上似已失去了昔日的神采，显得如此苍白，如此疲倦。

张洁洁若看见他现在这样子，会不会为他心酸，为他流泪？

楚留香轻轻叹息，抬起头，望着山巅的白云。

他仿佛想向白云探问，但白云却无声息。

世上又有谁能带给他消息？

一缕金光，划破了白云，照在流水旁。

他忽然发现流水旁出现了条人影，乌发高髻，一身青衣；一双眼睛在烟雾中看起来，仍然亮如明星，就像是自白云间飞降的仙子。

她双手捧着个白玉瓶，卷起了衣袖，露出双晶莹的粉臂，正在汲着山泉。

黄金般的阳光，就照在她白玉般的脸上。

楚留香看着她，呼吸突然停顿！

白云终于有了消息。

这少女岂非正是白云遣来，为他传递消息的？

楚留香几乎忍不住要跳起来，放声欢呼！

“艾青！”

这少女正是艾青。

她风采依旧，还是楚留香初见时那么妩媚，那么美丽。

她身上穿的，也仿佛还是那天她在万福万寿园去拜寿时同样的衣裳，耳上戴着对翠玉耳环。

看见了这双耳环，楚留香就忍不住想起了那一夜在山下小屋中的旖旎风光。

她的温柔，她的缠绵，足以令世上所有的男人永难忘怀。

但这些日子来，楚留香却似已完全忘记了她。

他实在觉得很惭愧，很歉疚，几乎无颜再见她。

但他却不能不见她，他正有千百句话要问她。

“那天早上，你怎么忽然不见了？”

“那只摄魂的断手，象征的究竟是什么意思？”

“现在你怎么会到了这里？”

“你是不是知道张洁洁的消息？”

“你是不是也和那神秘的一家人，住在那神秘的洞天里？”

楚留香终于忍不住放声高呼：“艾青！”

山泉闪着光，白玉瓶也在闪着光。

艾青汲满了一瓶山泉，就站起来，转回身，仿佛要走回白云深处。

她竟似完全没有听见楚留香的呼声。

楚留香的呼声更响：“艾青，等一等！”

她还是没有听见。

但这时楚留香已飞鸟般掠过了山泉，又像一朵白云，忽然落在她面前。

艾青停下脚步，看着他，面上既没有惊奇，也没有欢喜。

她就像是在看着个陌生人。

楚留香勉强笑了笑，道：“很久不见了，想不到会在这里看见你。”

艾青面上还是全无表情，冷冷地看着他，道：“你是谁，为什么拦住我的路？”

她的声音柔媚清脆，还是和以前一样，只不过已变得冷冰冰的，全无表情。

楚留香道：“你……你怎么不认得我了？”

艾青冷冷道：“我根本就从未见过你。”

楚留香长叹了一声，苦笑道：“我知道我亏负了你，可是……我也有我的苦衷……我也曾千方百计地找过你。”

艾青皱眉道：“你在说什么？我根本听不懂！”

楚留香不由自主，又摸了摸鼻子，道：“你难道真忘了我？”

艾青道：“我本就不认识你。”

楚留香道：“但我却认得你，你叫艾青。”

艾青道：“我也不认得艾青，闪开！”

她的手忽然向楚留香脸上挥了过去。

楚留香只有闪开。

他当然还有别的法子来对付她，但在这种情况下，却只有闪开。

一个女孩子，若咬紧牙关说不认得你，你除了让她走之外，还能怎么样呢？

可是，她为什么要这样做？为什么忽然会变得如此无情？

难道她也有什么不能告人的苦衷？

难道她的爱，已变成了恨？

楚留香想不通。

艾青已从他身旁走过去，带着种淡淡的香气走了过去。

就连这香气，都是楚留香所熟悉的。

他死也不能相信这少女不是艾青。

白云缥缈。

艾青的身影，又将渐渐消失在白云中。

楚留香突然转身，跟了过去。

艾青走得并不快，腰肢婀娜，仿佛雾中的花，风中的柳。

少女走路的风姿，本是迷人的。

但楚留香现在却已无心欣赏，他只是跟着她走。

山路窄而崎岖，也不知是由哪里开来，也不知道行向何处。

山路的尽头，只有白云，看不见洞天福地，也看不见琼楼玉宇。

艾青却似已将乘风归去。但归向何处呢？

楚留香跟得更近，追得更紧，生怕又失去她。

艾青突然回头，目光比山巅的风更尖锐，更冷，盯着楚留香，冷冷道：“你跟着我干什么？”

楚留香道：“我……我还想问你几句话。”

艾青道：“好！问吧。”

楚留香道：“你真的不是艾青？”

艾青道：“连这名字我都未曾听过。”

楚留香道：“万福万寿园呢？”

艾青道：“那是什么地方？”

楚留香道：“你没有去过？”

艾青道：“十年来，我根本从未下山一步。”

楚留香看着她，实在已无话可说。

所有的这一切事，全都是为了她在万福万寿园中，放了个屁而引起的。

现在她却说从未到万福万寿园去过，而且从未见过楚留香。

楚留香长长叹息了一声，喃喃道：“也许我认错了人，也许我根本不该再见你。”

艾青道：“不错，你根本就不该来的，那天也不该到万福万寿园去。”

楚留香霍然抬头，道：“你既然不认得我，怎知道我去过万福万寿园？”

艾青脸色立刻变了，身子突然掠起，掠入了缥缈的白云中。

楚留香正想追过去，但就在这时，白云间突又出现了两个人。

两个麻衣高冠的中年人。

他们不但装束打扮和楚留香那天见到的麻衣老人完全一样，就连神情都仿佛相同。

他们的脸，惨白而无血色，显得说不出的冷漠，说不出的高傲。

也许他们是来自天上的，也许是来自地下的，无论他们来自何处，都像是不屑与凡人为伍。

楚留香忽然明白了。

那麻衣老人夫妇，想必就正是那姓麻的一家人中的长者。

张洁洁和这一家人，想必有某种神秘而不寻常的关系。

那天她突然失踪，也说不定就是被那麻衣老人夫妇逼走的，否则，她又怎忍不告而别，而且一别全无消息？

楚留香的心，就像是在被火焰燃烧着！

他发誓，无论如何，也得将她从这一家人手里救出来。

无论要他付出多大的代价，他都在所不惜，甚至连死都没关系。

山风吹散了白云，白云又聚起。

那两个麻衣高冠的中年人，还是冷冷地站在白云间，冷冷地看着楚留香。

其中一个人身材较矮，但看来却更有威严，突然道："你从哪里来的，最好还是赶快回到哪里去。"

他的声音也和他的神情同样冷漠高傲，就像是神在对他的子民发号施令。

楚留香反而镇定了下来，慢慢道："为什么我一定要回去？"

麻衣人道："因为这本不是凡人该来的地方。"

楚留香笑了，道："这不是凡人该来的地方，你难道不是凡人？"

麻衣人道："我不是。"

他神情还是那么冷漠高傲，就好像真的将自己当作神一样！

楚留香笑道："你若不是人，是什么？"

麻衣人冷冷道："你既不该来，更不该问。"

楚留香道："我已来了，也已问过了。"

另一个麻衣人突然道："你既已来了，就不必再回去。"

楚留香道："我本就不想再回去。"

两个麻衣人对望了一眼，身子突然同时一转。

每个人都会转身的，但他们转动的姿势和方法，却跟任何人都绝不相同。

他们身子忽而向左转，忽而向右转，不但转动自如，而且转个不停。

连楚留香都看不出他们这是在干什么。

难道他们想将自己转晕？

就在这时，两个麻衣人忽又同时向他转了过来，围着他的身子转，愈转愈快。

楚留香当然见过"八卦游身掌"一类的功夫，这种功夫最厉害之处，就是围着你的身子转，转得你头晕脑涨，然后再乘机出手。

你根本就不知道他们何时会出手，更不知道他们将从何处出手，所以想防备都很难。

但"八卦游身掌"那一类的功夫，也绝不是这样子的。

那种功夫只不过是围着你转，他们自己的身子并不转。

这两人却像是两个大陀螺。

楚留香又笑了笑，道："我现在才知道你们是什么了，你们果然不是人，是……"

他的话还没有说完，两个麻衣人突然同时出手。

他们一共只有四条手，但手的影子却像有二三十个，四面八方地向楚留香拍了过来。

谁也看不出他们哪只手是实，哪只手是虚。

楚留香好像也看不出。

只听“啪！啪！啪！啪！”一连串四响掌声。

楚留香就已倒下。

他怎会如此容易就被人击倒?

是不是因为他从未见过这种武功?

这种武功的确太诡异，太奇妙。

“带他回去！”

“为什么要带他回去？”

“这人绝不是无意中闯进来的。”

“所以你要带他回去，问他的来意？”

“不错。”

这当然是麻衣人的对话，声音还是同样冷漠。虽然他们一出手就将对方击倒，但他们自己并不觉得欢喜得意，也不觉得奇怪。

因为他们认为这种武功只要一使出来，本就没有人能躲得了。

就算他们知道自己击倒的是楚留香，他们也不会觉得意外。

事实上，楚留香究竟是谁，他们根本不知道。

所以楚留香是不是真的被他们击倒而昏迷，他们也不知道。

楚留香慢慢地将眼睛睁开一线。

直到现在，他才微开眼睛。

那两个麻衣人一路将他抬到这里，他都一直闭着眼睛。

虽然他说不出有多么想看看他们入山的途径，但他还是勉强忍耐着，勉强控制自己。

因为他知道他们与人交手的经验虽不丰富，阅历虽不多，但耳目反应，却一定比平常人都灵敏得多。

他们也许看不出你是否真的晕倒，但你无论有什么动作，都一定休想瞒过他们。

无论对人和事，楚留香的判断，一向都很少有错误的。

几乎从来没有过！

这是间简陋的石室，简陋而古朴，就像是那些麻衣人本身一样，总令人觉得有种不可描述的高傲尊贵之意，令人不敢轻视。

无论谁到了这里，都会突然觉得生命的短促，自身的渺小。

石壁上点尘不着，亮得就像是镜子。

屋顶很高，高不可攀，屋子里除了一张很大的石榻外，几乎全无别的陈设。

现在，楚留香就躺在这石榻上，目光从屋顶移向石壁，又从石壁移向门。

门是关着的。

门外是什么地方？有些什么东西？是不是还有人在看守着？

楚留香完全不知道。

他只能感觉到，麻衣人转过很多次弯，上了几次阶梯后，才将他抬到这里。

然后就听不到他们任何声音。

麻衣人到哪里去了？准备怎么样处置他？楚留香也完全不知道。

现在他只想知道一件事，那圣坛究竟在哪里，要用什么法子才能进得去？

在这里等，等到有人单独进来的时候，用最快的手法制住他，换过他的衣服，再用最简单的易容术改变一下容貌，然后就混出去。

那圣坛既然是他们最重视的地方，在这山窟中的心脏地带，圣坛外想必总有些特殊标志。

假如他运气稍微好一点，说不定就能混到那里，只要他能闯进去，以他的轻功，就很少有人还能拦住他。

这就是楚留香想出来的法子，可是连他自己也知道，这法子实在不太高明，非但不高明，而且毛病很多。

第一，假如没有人单独进来，他这法子根本就行不通。

第二，易容术也是根本靠不住的——你可以改扮成张三李四，去瞒过不认得他的人，但这里的人却是一个大家族，每个人彼此都一定很熟悉，他很容易就会被人认出来。

第三，那圣坛之外也许连一点标志都没有，就算他能找到那里，也认不出来，也许他根本就找不到。

这法子不但太冒险，简直已可说是有点荒谬。

但这却是他能想得出来的唯一的法子，何况他运气一向不错。

所以他只有等。

石板冷得要命，硬得要命，睡在上面，骨头都会睡硬，骨髓都像是要结冰。

他真想下来溜溜，活动活动筋骨，接下去说不定有许多场硬战要打，这些日子来，他的精神和体力都差劲得很。

可是，假如刚好在他活动的时候，有人进来了，那怎么办呢？

所以他只有老老实实地躺在又冷又硬的石板上，自己对自己苦笑。

楚留香这一生中，几时做过这种缩头缩脑、畏首畏尾的事？

他胆子真的这么小了？真的这么怕死？

楚留香暗中叹了口气，只有他自己知道，他怎么会变成这样子的。

江湖传说，楚留香根本不是人，是个鬼，是神。

以前他若真的是神，现在他已变成了凡人。

天上地下，也只有一种力量，可以使人变成神，使神变成人。

门外终于响起了很轻的脚步声。

两个人的脚步声。

楚留香的心往下沉，自从交了桃花运后，他就没有以前那样的好运气了。

两个人走进了石屋，一个人的脚步声较轻。

脚步声重些的一个人，走在后面。

楚留香在心里盘算着，他有把握在一刹那间，制住后面的那个人，同时将出路挡住。

前面的人想跑也跑不出去。

这当然也是冒险，但他实在已没法子再等下去，何况，以后来的人说不定更多。

他念头转得很快，动作更快，一想到这里，他的人已飞了起来。

没有亲眼看到过的人，绝对无法想象楚留香骤然行动时是什么样子。

那就像是鹰飞，却比飞鹰行动更快，那又像是兔脱，却比脱兔更剽悍迅疾。

他行动时如风云，下击时如雷电。

他并没有睁开眼去看走在后面的这个人，但身形一闪，已雷电般往这人击下。

只可惜他算错了一点。

这人的脚步虽重，反应却也快得惊人，身子突然溜溜一转，人已滑出七尺。

楚留香凌空翻身，翻身追击，疾然反掌斜削这人的后颈。

这人身子又一转，指尖划向楚留香的脉门，招式灵变，连削带打，以攻为守，只凭这一着，已可算是一流高手。

他再也想不到楚留香这一掌竟是虚招，再也想不到楚留香身子悬空时，招式还能改变，而且改变得令人无法思议。

他只看见楚留香的身子突然在空中游鱼般一翻，足尖已踢向他软肋下气血二海穴。

他虽然看到，也知道应该如何闪避，但等他要闪避时，已来不及。

他思想还在准备下一个动作，人却已倒下。

楚留香一击得手，掌心却已沁出冷汗。

他虽然将这人击倒，距离门户却已有七尺，并没有挡住前面一个人的出路。

这人说不定早已逃脱，只要他走出了这屋子，楚留香就休想走出去了。

他又算错了一招。

他也永远想不到，这人居然还静静地站在那里，看着他。

他直到现在，才看见这个人。

艾虹！

楚留香又惊又喜，几乎忍不住要失声叫了出来。

艾虹的脸上却连一点表情也没有，身上穿的也不再是诱人的红衫。

她穿着件宽大的麻袍，完全掩盖了她苗条动人的身材。

她脸上也似乎戴了个面具，她的情感也全都被藏在这面具里。

可是她刚才为什么不乘机逃出去报警呢？

楚留香心里充满了感激，忍不住走过去，想去握住她的手。

她的手在衣袖里，脚却后退了两步。

她也变了，已不是以前那娇俏柔媚，如小鸟依人的女孩子。

她看着楚留香的时候，就像是在看着个陌生人。

楚留香也只有停下脚步，勉强笑道："谢谢你。"

没有回应。

楚留香还是要问："你怎么会在这里的？难道你也是这一家的人？你认不认得张洁洁？她是不是也在这里？"

他问的话，就像是石头沉入水中，完全得不到一点反应。

楚留香叹了口气，苦笑道："我知道你有很多秘密不能说，我只求求你，告诉我，这里的圣坛究竟在什么地方？"

艾虹冷冷地看着他，突然抬起手，反手点住了自己的穴道。

她也倒下。

楚留香突然很吃惊，但惊讶得并不太久。

他已明白她的意思。

她不忍伤害楚留香，但也不能为楚留香做任何事。

这已是她所能做到的极限。

楚留香只有感激，她已尽了她的心意，他对她还能要求什么呢？

外面是条很长的石廊，两边当然还有别的门，每道门看来都是完全一样的。

谁也不知道推开门后，会发现什么，会遇到什么事。

任何一道门的后面，都可能是楚留香所要寻找的圣坛。

任何一道门后面，也都可能隐藏着致命的危机。

幸好外面并没有防守的人。

这里已是虎穴，无论是谁走进来，都休想活着出去，又何必再要防守的人？

"既然是圣坛，总该有些特别的地方。"

楚留香为自己下了个决定，决心要再碰碰运气。

他沿着石壁，慢慢地走过去，低着头，垂着手，尽力使自己的脚步安详稳定。

记得那麻冠老人走路的姿态，也许这里的人走路都是那样子的。

灯光是从石壁间嵌着的铜灯中发出来的，光线柔和，并不太亮。

楚留香觉得很幸运，他虽已换上了麻冠麻衣，但脸上一定弄得很糟。

既没有镜子，又缺乏工具，更没有充裕的时间，在这种情况下想要易容改扮，简直就好像六十岁的老太婆，想把自己扮成十六岁的小姑娘一样。

走过这条长廊，他身上的衣服，就几乎已经湿透了。

转过弯后是什么地方？

他悄悄探出头，悄悄地张望，还是没有人。

连人声都没有。

他刚松了口气，呼吸突然停顿。

前面的确看不见人，也听不见人声。

但后面呢？

楚留香不敢回头，又不能不回头——他已发觉后面仿佛有人的呼吸声。

后面不止一个人——有七八个人。

七八个人幽灵般一连串跟在他身后，就像是突然自地下出现的鬼魂。

他往前走，他们也往前走。

他停下来，他们也停下。

楚留香回过头，脖子就像是忽然变成了石头，完全僵硬。

一张全无表情的脸，正对着他，一双冰冰冷冷的眼睛，正看着他。

楚留香忽然觉得这里的灯光实在太亮了。

这人还在冷冷地看着他，没有动作，没有说话。

楚留香向他点点头。

这人居然也向楚留香点了点头。

楚留香道："你好！"

这人道："你好！"

楚留香道："吃过饭没有？"

这人道："刚吃过。"

楚留香道："吃的是什么？"

这人道："肉。"

楚留香道："什么肉？猪肉还是牛肉？"

这人道："都不是，是人肉，想混进这里来的人的肉。"

楚留香笑了，道："那一定难吃得很。"

他话还未说完，身子贴着石壁一滑，人已转过弯，滑出去三四丈。

然后他身子就像箭一般向前蹿了出去。

他不敢回头，一回头身法就慢了，他也用不着回头去看，后面的人反正一定会追来的。

长廊的尽头又是长廊。同样的石壁，同样的门。

这见鬼的地方也不知有多少条石廊，多少道门。

楚留香心里突然又感觉到一种说不出的恐惧。

他左转右转，转来转去，说不定还是在同样的地方兜圈子。

别人根本不必追，在那里等着他就行了，等着他自己倒下去。

但明知如此，他还是不能停下来。

既然不能停下来，要跑到什么时候为止呢——倒下去为止？

这地方看来很简单，很平常，并没有什么特别可怕的危机和埋伏。

楚留香直到现在，才知道这地方有多可怕。

最可怕的是，这地方永远只有一个弯可以转，只有一条路可以走。

他根本就没有选择的余地。

顽皮孩子们常常会将一空盒子格成许多格，再捉只老鼠放进去，看着老鼠在格子里东奔西突。

楚留香忽然间发觉自己现在的情况，和格子里的老鼠也差不了多少，说不定上面也有人正在看着他。一想到这里，他立刻停下来。

无论为了谁，无论为了什么原因，他都不愿将自己当作老鼠。

就算别人并没有这么想，至少他自己已经有了这种感觉。

这种感觉可真不好受。

后面的人居然还没有追到这里来——这是因为楚留香的轻功太高，还是因为他们明知道楚留香无路可走?

无论为了什么，他们迟早还是要追来的。

楚留香长长叹了一口气，决定先推开最近的一道门再说。

但就在这时，最近的一道门忽然开了，门里有个人正在向他招手。

他看不见这个人，只看见一只手。

一只柔若无骨的纤纤玉手，也许就正是那只催魂夺命的手。

楚留香却已蹿了过去。

在这种情况下，他已无法顾忌得太多，他决心要赌一赌!

冒险，岂非本就是楚留香生命中的一部分——也许正是最重要的一部分。

他冲入那道门。门立刻关了起来，关得很紧。

屋子里竟没有灯，楚留香连这只手都看不见了。

这究竟是谁的手呢?

黑暗，伸手不见五指。

什么也听不见，什么也看不见，只能嗅到一阵阵淡淡的香气。

这香气仿佛很熟悉。

楚留香刚想说话，这只手已掩住了他的嘴。

一只光滑柔软的手，却冷得像冰。

没有人能掩住楚留香的嘴，有灯光的时候不能，黑暗中也不能。

除非他认得这个人，信任这个人，知道这个人绝不会伤害他。

这个人是谁呢？

楚留香耳畔响起了她温柔，却带着些埋怨的低语声：“你好大胆子，居然敢到这里来？你还想不想活着回去？”

这声音更熟悉，是艾青的声音：“我刚才假装不认得你，你就应该明白我的意思，就应该走，我真没想到有时你也笨得像头驴子。”

楚留香握住了她的手，轻轻拉开，轻轻叹息，道：“我明白你的意思，可是我非来不可。”

艾青道：“为什么？难道……难道你是来找我的？”

楚留香无语。

艾青也轻轻叹息了一声，幽幽道：“我也知道不是，你绝不会为了我冒这种险，我……我只不过是你许许多多女人当中一个而已，你可以忘记别人，当然一样也可以忘记我。”

她的声音幽怨凄楚，她对楚留香似已动情。

楚留香心里充满了歉疚和怜惜，忽然觉得自己实在很对不起这女孩子，忍不住将她的手握得更紧，柔声道：“我并没有忘记你，也曾千方百计地找过你，可是……可是……”

艾青道：“可是这次你并不是来找我的，你根本不知道我会在这里。”

楚留香只有承认。

艾青的声音忽然变得很冷淡，道："其实你也用不着觉得对不起我，我去找你，的的确确本是为了要杀你的。"

楚留香道："可是后来你……"

艾青道："后来我还是在骗你，那次我突然失踪，并没有什么人逼我，是我自己溜走的。"

楚留香放开了握住她的手，又开始摸摸鼻子了，仿佛连鼻子都有了酸水，又酸又苦。

艾青道："难道你以为天下的女人都要缠着你，难道你以为自己真的很了不起？"

楚留香苦笑道："无论如何，你今天总算冒险救了我。"

艾青淡淡地道："我救你，只不过是因为我觉得你很傻，傻得很可怜，上了别人的当，还在自作聪明。"

楚留香道："我究竟上了谁的当？究竟是谁在暗中主使你杀我？"

艾青道："我看你还是不要知道的好，何况你根本就不会知道。"

楚留香道："我一定要知道。"

艾青冷笑道："你以为谁会告诉你？你以为你自己能查得出来？"

楚留香道："只要你告诉我，圣坛在哪里，我就能查出来。"

艾青道："圣坛？你想到圣坛去？"

她声音忽然变得嘶哑，似乎充满了恐惧。

楚留香道："我到这里来，就是为了要到那圣坛里去找一个人。"

艾青道："找谁？"

楚留香道："找你们的圣女。"

艾青沉默了很久，才冷冷道："你知不知道，要什么样的人才能见到圣女？"

楚留香道："不知道。"

艾青一字字道："快死的人！现在你也许还有希望逃出去，但你若想见她，就非死不可。”

楚留香道：“我也非去见她不可。”

艾青道：“你想死？”

楚留香长长叹了口气。用叹气来答复别人的话，通常就等于是承认。

艾青又沉默了很久，忽然道：“好吧！我这就带你去。”

楚留香大喜道：“谢谢你。”

他这句话还没有说完，突然觉得有根针刺入了他腰上的软麻穴。

这次他真的倒了下去。

艾青的声音更冷，笑道：“我本来还想设法救你一条命，可是你既然想死，我不如就成全了你！”

楚留香只有听着，现在他就算还能开口说话，也无话可说了。

他永远也没有想到，连她也会这样子对付他。

他忽然发觉自己对女人的了解，并不比一头驴子多多少。

第十二章

奇　迹

门已开了。

灯光从门外照进来，艾青却已跨过楚留香，走了出去。

她连头都没有回，连看都不再看楚留香一眼。

谁说男人薄幸？谁说男人的心肠硬？

女人的心若是硬起来时，简直连钉子都敲不进去。

楚留香索性闭上了眼睛，什么都不去看，什么都不去想。

但真正能什么都不想的，只有一种人。死人！

楚留香从未觉得自己是个死人，也从未觉得自己是个快死的人。

无论在多艰难，多危险的情况下，他心里都还是充满了希望。

一个人只要有希望，就有奋斗的勇气，只要还有奋斗的勇气，就能活下去。

有人甚至说，你就算已将刀架在楚留香的脖子上，他也有法子从刀下逃走的。

但现在，他却忽然觉得自己简直是个死人。

这一切事，都是由艾青开始的，这一切计划，显然也都是艾青在暗中主持。

若没有艾青，根本什么事都不可能发生。

只要是个活人，只要还有一点点脑筋，就必定能想到艾青就是那个真正想杀楚留香的人。

楚留香自己却偏偏没有想到，甚至从来也没有怀疑过她。

这就好像一个到处找钥匙开门的人，钥匙明明就摆在他面前，他却偏偏看不到，偏偏要去钻阴沟，挖地缝，找得一身是泥。

到后来连眼睛都已被泥蒙住，当然就更看不到钥匙在哪里了。

你说这种人不是死人是什么？

楚留香叹了口气，嘴里苦得就好像刚吞下七十斤黄连。

那天晚上，在那溪水中出现黑衣老妪，显然也是跟艾青串通好的，说不定就是艾青自己。

她故意告诉楚留香那些话，只不过是想要楚留香自投罗网而已。

阿鹃岂非也曾有过同样的企图？

那次的事实在是楚留香得意之笔，那么多设计精巧的诡计，全都被他一件件看破了。

那一次无论换了谁，都难免会上当的，楚留香却偏偏没有。

只要你方法用得对，天下根本就没有永不上当的人，连楚留香都不例外。

任何人都不例外，就算最聪明的人，在某个人面前，也会变成呆子。

这地方也许根本就没有见鬼的圣坛，见鬼的“生神”，这种事本就荒诞不经，就算真是个呆子，也许都不会相信。

但楚留香这个聪明的人却相信了。

现在他总算已想通，却已来不及了。

门外却又有脚步声响起，是几个人的脚步声。

楚留香闭起了眼睛。

他实在不愿再看到艾青那种得意的样子，那种充满了讥嘲讽刺的笑容。

他受不了——不是受不了别人，是受不了自己。

艾青既没有露出得意的样子，也没有笑。

事实上，她脸上连一点表情都没有。

灯光已亮起。

她就站在那里，冷冰冰地看着楚留香。

还有五个人是跟着她一起进来的，最后一个人是艾虹。

她也站得离楚留香最近，似也不愿再看到楚留香——她冒着生命的危险救了他，他却笨得像条泥鳅一样，居然又自投罗网。

另外的四个人，其中有个身材最矮的，正是将楚留香“捉”回来的那麻衣人。

他看着楚留香，显得愤怒而吃惊，沉声道：“我明明已点住他的穴道，将他关在千秋屋里，他怎么会逃到这里来的？”

艾青冷冷道：“这句话你不该问我。”

这人道：“不问你问谁？”

艾青没有回答，眼睛却瞪在艾虹身上。

这矮子立刻也回过头，瞪着她，厉声道：“刚才是不是你跟十三郎一起到千秋屋里去的？”

艾虹垂首望着自己的脚尖，一句话也不说。

艾青却已替她回答，道：“不错，十三郎现在还没有醒过来。”

矮子道：“以这人的武功，根本不可能击倒十三郎，何况他早已被我点住了穴道。”

艾青道：“也许他的穴道已先被人解开了，然后两个人再一起对付十三郎。”

矮子道：“你的意思是说谁？”

艾青冷冷道："我谁都没有说，只不过说，这件事有一种可能而已。"

矮子道："难道你认为小虹会帮着这人逃走？"

艾青道："这句话你也不该问我，你自己应该能想得到的。"

矮子道："小虹为什么会做这种事？"

艾青道："谁知道——我只知道，小虹最近曾经出去采购过粮食，我也看得出这个人是个很英俊的少年，而且很不老实。"

矮子道："你是说，他们两人早已有了私情，他到这里来，本就是为了要找小虹，所以小虹才会冒险去救他？"

艾青淡淡道："我什么都没有说。"

艾虹突然冷笑道："就算你说了，也根本没法子证明。"

矮子厉声道："你还不承认？"

艾虹道："你要我承认什么？"

矮子突然出手，五指如鹰爪，向艾虹抓了过去。

艾虹却仍然声色不动，冷冷道："你难道忘了我是什么地方的人，你敢动我？"

矮子虽然满脸怒容，但终于还是慢慢地将手垂了下去。

艾虹道："就算真的确有此事，你们也不能治我的罪，尤其是你。"

她也已抬起头瞪着艾青，冷笑道："我早就知道你一直在嫉妒我，恨我，在外面你可以借故砍断我一只手，但现在我已是里面的人，你还敢对我怎么样！"

艾青沉着脸，也冷笑着道："我虽然不能对付你，总有人可以对付你的。"

艾虹道："你难道敢跟我到里面去对证？"

艾青大声道："去就去，反正事实俱在，你就算狡赖也不行。"

楚留香虽然没法子开口，眼睛也是闭着的，但耳朵还能听得见。

他听见的话更证实了他的想法不错。

艾青果然就是那在暗中阴谋主使，要杀楚留香的人，连艾虹的手，都是被她砍断的。

那天晚上，若不是张洁洁暗示，她那双耳环也许早已要了楚留香的命。

这一计不成，所以她才利用艾虹的手，来故布疑阵，要楚留香认为她也是被害的人。

等她发现艾虹去找楚留香，就立刻令人将艾虹架回来，因为她生怕艾虹会泄露她的秘密。

现在她这么样，正是一石二鸟之计，不但除去了楚留香，也乘机除去了艾虹。

那时她没有杀艾虹，也许只因为艾虹是里面的人，所以才不敢妄动。

楚留香虽然又明白了许多事，但还有些事却令他更想不通。

“里面”究竟是什么地方？他们本来是一个家族的人，为什么还要分里面外面？

张洁洁呢，难道也是他们这家族的人？抑或只不过是被她利用的？

她是不是也已发现张洁洁对楚留香动了真情？

张洁洁是不是也已遭了她的毒手？

无论如何，楚留香都已知道，今生再和张洁洁见面的希望已不多了。

他还能逃出去的机会当然更少。

“每个人都难免要被人愚弄，每个人都难免要死亡的。”

他忽然觉得很疲倦，很疲倦……

死，岂非正是最好的休息？

一个人若已觉得活着很无趣时，就该不会再有奋斗求生的勇气。

这时他就会觉得很疲倦，疲倦得情愿放弃一切，来换取片刻的休息。

楚留香忽然也有了这种感觉。

无论谁这一生中，都难免偶尔会有这种感觉的。

也不知是谁用黑巾蒙起了楚留香的眼睛，再将他抬了起来。

楚留香知道他们是要将他抬到“里面”去。

那究竟是什么地方？为什么如此神秘？

又转了几个转，上下了几十级石级，他们才停了下来。

忽然间，一阵清脆的钟声响起，余声缭绕不绝。

钟声消失后，楚留香就听到一阵石门滑动的声音，然后他们才走了进去。

他们的脚步更轻，更缓，连呼吸仿佛都显得特别谨慎。

楚留香虽然什么都看不见，但忽然有了种说不出的奇异感觉。

就仿佛一个人在四望无涯的旷野中迷失了路途，又仿佛忽然闯入了一个神秘、庄严、宏大的神殿里。

那种感觉有几分像是敬畏，又有几分像是恐惧，却又什么都不是，只是种无法描述的迷惘。

所以等到有人替他解开了这条黑巾时，他还是忍不住睁开了眼睛。

这里果然是个神殿，比世上所有的庙宇殿堂都庄严伟大得多。

一层又一层的石级，从他们跪着的地方，向前面伸展出去，伸展到数十丈外。

四下香烟缭绕就像是原野中的雾一样。

从烟雾中看过去，可以看到最前面有张很宽大的椅子。

椅子是空的，四壁却画满了奇异的符咒。

突然间，又是一阵钟声响起。

所有的人立刻全都五体投地，匍匐拜倒。连楚留香的身子都被人按了下去。

等他再抬起头来时，那张空椅上，已经坐上了一个人。

一个谁也说不出有多么神奇诡秘的人。

他身上穿着件宽大的七色长袍，金光灿烂，亮得就仿佛是天上的阳光。

他脸上戴着个狰狞奇异的面具，也仿佛是用黄金铸成的。

远远看来，这人全身都仿佛被一种奇异的七色金光所笼罩。

所以他根本看来就像是火焰，是烈日，别人根本就无法向他逼视。

他身后仿佛还站着一条人影。

但在他的光芒照耀下，这人影已变得虚幻缥缈，若有若无。

楚留香只抬头看了一眼，全身的肌肉就已因兴奋而僵硬。

他立刻又想起了那神秘的月夜，雾中的魔妪。

那魔咒般的语声，似又在他耳边响起。

“他们信奉的，是种很神秘的宗教，他们的神，就在他们的圣坛里。

“他们的神既不是偶像，也不是仙灵。他们的神是生神，你不但可以看得见他的形象，甚至可以听得到他的声音。

“你只要能到得了他们的圣坛，看到他们的神，就没有人再能伤害你。

“所有的一切秘密，他全都会为你解答的。”

那魔妪说的话，竟没有骗他。

这地方竟真的有个圣坛，圣坛中竟真的有个活生生的神。

可是他真能为楚留香解答一切秘密吗？

现在楚留香连开口的机会都没有，但他心里却已又有了希望。

然后，他果然听到了这神的声音。一种虚无缥缈的声音，却带着种不可描述的魔力。

“是谁敢将这陌生人带进来的？”

那矮子和艾青同时以首顿地。

“为什么？”

于是这矮子就将事情的经过说了出来，他的声音本来充满了威严和权力，但现在却已全变了，甚至已变得有些口齿不清。

神在倾听着，过了很久，才缓缓道：“你是神前的司花女，怎能与凡人有私情？”

这句话是对艾虹说的。

艾虹立刻匍匐在地，既没有抗辩，也没有申诉。

她竟似已真的认罪了。是不是因为这件事根本解释不清？

这显然是不可原谅的大罪。“触犯天条，应该受什么刑？”

神在沉默着，似乎也在考虑，到最后才终于说出了两个字：“血刑！”

什么叫血刑？

看到艾虹面上的恐惧之色，已可想见必定是种极可怕的刑罚。

楚留香的心也沉了下去。

现在他总算已到了他们的圣坛，总算已见到了他们的神。

但那些秘密，还是没有人为他解答。

他还是听不到张洁洁的消息。

只不过他现在总算又想通了一件事。

艾青这么做，原来竟是为了想借他们的神的手，来除去楚留香，将楚留香这个人从此消灭，而且根本就不容人有任何复仇的机会。

可是，她和楚留香究竟有什么仇恨？为什么一定要杀他？

这是最重要的一点，楚留香竟至死也不明白！

刑具已搬来。

这神殿就是刑场。

艾虹已恐惧得整个人已瘫软。

血刑的意思，原来就是要你流血而死，要你用自己的血，洗清自己的罪。

现在，钢刀无异已架上了楚留香的脖子，他还有法子能从刀下逃得走吗？

艾青冷冷地看着他，还是连一点表情也没有，就像是在看着个陌生人一样。

又有谁能想得到，她的心机竟是如此深沉，手段竟是如此毒辣？

只怕连他们都想不到。

血刑！

这又是多么残酷，多么可怕的刑罚。

他们的神似乎也不忍再看下去了，突然站了起来。

钟声一响。

楚留香面上忽然露出一种非常奇怪的表情。

神似乎已想退下去。

楚留香突然大喝道：“等一等！”

这喝声就像是晴天中的霹雳，震惊了所有的人。

喝声中，楚留香的人已横空掠起！

他岂非明明已被点住穴道？

没有人知道，是什么原因使他恢复了这种超人的能力！

没有人能形容他这种能力，也没有人能形容他这种身法！

在这一瞬间他已不再是人，竟已变成了大漠中展翅千里的苍鹰，似已变成了神话中天矫九天的飞龙。在这一瞬间，他的能力似已超出天上地下的诸神之上！

他赫然竟向这神秘的生神扑了过去！

这生神似也被他这种力量所震惊，竟似已怔住在那里。

神殿下的麻衣人们，低喝着，跃起追捕。

只有艾青还是静静地站在那里，看着，眼睛里也出现了种奇异的表情。

那既不是惊骇，也不是仇恨，反而像是带着淡淡的惆怅和忧郁，就仿佛一个人眼看着他心爱的燕子，从他身旁飞走了似的。

又有谁真正能了解她的心？

这的确是个可怕的家族，每个人的武功都是一流身手，每个人的行动都是迅速而准确的。

但就在他们身子扑起的时候，楚留香已飞跃般横掠过数十丈石级。

神仍然在金光笼罩下，但那种神秘的魔力却似已消失。

楚留香扑过去，突然闪电般出手。

神没有闪避。楚留香的出手，连神都无法闪避！

楚留香已揭下了他脸上的黄金面具！

这才是真正惊心动魄的一刹那！这才真正是最重要的一刹那！

在这一刹那间，神已突然变成了凡人！

在这一刹那间，所有已跃起的麻衣人，忽然又五体投地，匍匐拜倒！

但最吃惊的，并不是他们，也不是他们的神，而是楚留香。

没有人能形容楚留香此刻面上的表情。

同样也没有人能形容这“神”面上的表情。

楚留香看着他，甚至连心跳都已停止，连呼吸都已停顿。

她也同样在看着楚留香，眼睛竟似也热泪满盈。

一双新月般迷人的眼睛！

第十三章

有情人终成眷属

神是不是也会流泪?

是的。

你可以说，世上根本没有神，但不能说，神是绝不流泪的，因为神也有感情。没有感情的，非但不能成为神，也不能算是个人。

现在流泪的当然并不是神，是人。

神的面具已揭了下来，露出了一张苍白而美丽的脸，一双新月般的眼睛。

这张脸本来永远都是明朗而愉快的，这双眼睛里，本来永远都带着醉人的笑意。

但现在，脸已憔悴，眼睛也充满了矛盾和痛苦。

这并不是因为她不愿意见到楚留香，这矛盾和痛苦，是因为她本身而来的。

但楚留香却未想到会在此时此刻看见她。

张洁洁。

楚留香做梦也没有想到过，他们的神竟是张洁洁。楚留香将面具提在手里，仿佛有千斤般重。

楚留香手里已满是冷汗。

忽然有一只手从旁边伸过来，接过了面具。这是只枯瘦而苍老的手。

楚留香回过头，看到了一个满身黑衣、黑纱蒙面的老妇人。难道她就是那在月夜烟水中出现的魔姬？

现在楚留香还是看不见她的脸，只看见她一双眼睛在黑纱里闪闪发着光。

她凝视着楚留香，缓缓道："我是不是告诉过你，只要你能到得了这里，非但所有的秘密都能得到解答，而且一定能找得到她？"

她的声音柔和而慈祥，已和那天晚上完全不同，慢慢地接着又道："我是不是没有骗你？"

楚留香茫然点了点头。其实他还是不懂，比刚才更不懂。

刚才他得到的那些答案，现在已完全推翻了。

艾青非但不是主谋害他的人，而且一直都在暗中助着他。

她刚才故意点住他的穴道，想必只不过是为了帮助他进入这圣坛而已。

也许这正是他能到这里来的，唯一的一条路。

她不但下手极有分寸，而且时间算得极准，那股将楚留香穴道封闭住的力量，恰巧就正在最重要的一刹那间自动消失了。否则楚留香又怎能一跃而起？

艾虹显然也是早已跟她串通好了，一起来演这出戏的。

所以她无论对什么罪名都不否认。

主谋要杀楚留香的人，既不是她们，那又是谁呢？

难道是张洁洁？

那也绝不可能——她若要杀楚留香，机会实在太多了。

所有的秘密依旧还是秘密，还是没有解决。

可是无论如何，他总算已见到张洁洁了，对他来说，这一点才是最重要的。

无论这里是圣坛也好，是虎穴也好。

无论张洁洁是神，还是人？

这全不重要。重要的是，他还是在热爱着她，而且终于又相聚在一起。

他张开了双臂，凝视着她。

她投入了他的怀里。

在这一瞬间，他们已完全忘记了一切。不但忘记了他们置身何地，也忘记了这地方所有的人。

眼泪是咸的，却又带着丝淡淡的甜香。

楚留香轻吻着她脸上的泪痕，喃喃道："你这小鬼，小妖怪，这次你还想往哪里跑？"

张洁洁轻咬着他的脖子，喃喃道："你这老鬼，老臭虫，你怎么会找到这里来的？"

楚留香道："你明知我会找来的，是不是？你就算飞上天钻入了地，我还是一样能找到你。"

张洁洁瞪着眼，道："你找我干什么？是要我咬死你？"

她咬得很重，咬他的脖子，咬他的嘴，她的热情已足以让他们两个人全都燃烧。

可是她刚才为什么那么冷？

楚留香想起了刚才的事，想起了刚才的人——这地方并不是只有他们两个人。

他忍不住往下面偷偷瞟了一眼，才发现所有的人都已五体伏地，匍匐拜倒，没有任何人敢抬头看他们一眼。

她难道真是神？

否则这些人为什么对她如此崇敬？

张洁洁忽然抬起头，道：“你几时变成了个木头人的？”

楚留香笑了笑，道：“刚才。”

张洁洁道：“刚才？”

楚留香道：“刚才你看见我，却故意装作不认得我的时候，那时你岂非也是个木头人？”

张洁洁道：“不是木头人，是神！”

楚留香道：“神？”

张洁洁道：“你不相信？”

楚留香叹了口气，道：“我实在看不出你有哪点像神的样子。”

张洁洁的脸又红了，咬着嘴唇，道：“那只因现在我已不是神了。”

楚留香道：“从什么时候你又变成人的？”

张洁洁也笑了笑，道：“刚才。”

楚留香道：“刚才？”

张洁洁道：“刚才你将我面具掀起来的时候，我就又变成人了。”

她又开始咬楚留香的脖子，呢喃着道：“不但又变成了个人，而且是个又会咬人，又会撒娇的女人，活生生的女人。”

没有人能否认她这句话。在咬人和撒娇这两方面，她简直是专家。

楚留香又叹了口气，苦笑道：“我还是不懂，非但不懂，而且愈来愈糊涂了。”

只听一人道：“你慢慢就会懂的。”

那黑衣老妪又出现了，正站在他们身旁，看着他们微笑。

楚留香脸上也不禁有些发烧，想推开张洁洁，又有点不舍得。他能再将她抱在怀里，实在太不容易，何况她又实在抱得太紧。

黑衣老妪笑着道："你用不着怕难为情，她已是你的，你随便在什么时候，什么地方抱住她，都绝没有人敢干涉你。"

她忽然高举双手，大声说了几句话，语音怪异而复杂，楚留香连一个字都听不懂。

圣坛下立刻响起一阵欢呼声！

楚留香正不知道这是怎么回事，圣坛已忽然开始往下沉。沉得快，沉得很快。

忽然间，他们已到了地下一间六角形的屋子里，一张六角形的桌子上，居然摆满了酒菜。

黑衣老妪微笑道："酒是波斯来的葡萄酒，菜也是你喜欢吃的。"

张洁洁抢着拍手笑说道："好像还有我喜欢吃的鱼翅。"

她笑得就像是个孩子。

楚留香却有点笑不出，忍不住道："你们早已算准我会到这里来了？"

黑衣老妪居然也眨了眨眼，笑道："我只知道楚香帅要去的地方，从没有人能阻拦他的。"

无论什么样的秘密，却总有个解答的。

黑衣老妪终于将这答案说了出来。

这其间最令楚留香吃惊地，是两件事。

第一，张洁洁就是这黑衣老妪的女儿。

第二，要杀楚留香的人，竟也是这黑衣老妪。

她既然要杀楚留香，为什么又指点了楚留香这条明路呢？

这其中的原因，的确诡秘而复杂，楚留香若非亲身经历，只怕连他自己都不会相信。

"我们的确是个很神秘的家族，从没有人知道我们来自什么地方，甚至连我们自己都已无法再找得到昔日的家乡了。

“我们信奉的，也是种神秘而奇异的宗教，源流来自天边，和波斯的拜火教，也就是外来传入中土的佛教有些相似。

“我们崇敬的神，就是教中的圣女。

“圣女是从我们家族里的处女中选出来的，我们上一代的圣女，选中的继承人就是她——也就是我的女儿。

“无论谁只要一旦被选中为圣女，她终生就得为我们的宗教和家族牺牲，既不能再有凡人的生活，更不能再有凡人的感情。

“无论谁只要一旦被选中为圣女，就没有人再能改变这事实，更没有人敢反对，除非有个从外面来的陌生人，能擅入这圣坛，揭下她脸上那象征着圣灵和神力的面具。

“但这地方非但秘密，而且从不容外人闯入，无论谁想到这里来，简直比登天还难。

“所以这条法令也等于虚设，十余代以来，从没有一个圣女能逃脱她终生寂寞孤独的厄运。

“在别人看来，这也许是种光荣，但我知道一个少女做了圣女后，她过的日子是多么痛苦。

“因为我自从生出她之后，就做了这教中的护法，没有人比我跟上一代的圣女更接近，也只有我曾经看到过她，夜半醒来时，因寂寞和孤独而痛苦得发疯的样子。最痛苦的时候，她甚至要我用尖针刺在她身上，刺得流血不止。

“我当然不忍看见我的女儿再忍受这种痛苦，我一定要想法子为她解脱。

“但我虽然是教中的护法，但也无法改变她的命运，除非上天的真神能赐给我一个陌生人，让他来为我女儿揭下那可怕的面具。

“所以我就想到你。”

炉中香烟缥缈，黑衣老妪盘膝坐在烟雾中，娓娓地说出了这故事。

楚留香就仿佛在听神话一样，已不觉听得痴了。

听到这里，他才忍不住插口道："所以你就叫她去找我？"

黑衣老妪道："是我要她去的。"

楚留香忍不住摸了摸鼻子，苦笑道："但你又何必叫她去杀我呢？"

黑衣老妪道："有两种原因……"

楚留香道："我在听。"

黑衣老妪道："我知道你是个很好奇、很喜欢冒险的人，但若这样叫你来，你一定还是不肯的，因为你和她本无感情。"

楚留香承认。

黑衣老妪道："所以我只有先用种种方法，来引起你的好奇心，再让你们有接触的机会，让你们自己发生感情。"

楚留香忍不住问道："你怎知道我们一定会发生感情？"

黑衣老妪睁起了眼，看了看他，又看了看她的女儿，微笑道："像我女儿这样的女孩子，有没有男人会不喜欢她？"

楚留香叹道："那倒的确难找得到。"

张洁洁笑了，嫣然道："像你这样的男人，不喜欢你的女人也一样难找得很。"

楚留香夹起块鱼翅，塞到她嘴里，道："马屁拍得好，赏你一块鱼翅。"

黑衣老妪笑道："她说得不错，我若年轻三十年，只怕也会喜欢你的。"

张洁洁吃吃笑道："你现在岂非还是很喜欢他？这就叫，丈母娘看女婿，愈看愈有趣。”

她们母女间，的确有种和别人不同的感情，这也许是因为她们本就是在一个很特别的环境中生存的。

楚留香却听得脸上又发烧了。

黑衣老妪看着他们，微笑道：“人与人之间，有时就好像磁石和铁一般，一遇上就很难分开，这大概也就是别人所说的缘分。”

楚留香道：“你刚才说有两种原因。”

黑衣老妪点点头，道：“我刚才也说过，无论谁想到这里来，都难如登天，我虽然听说过你的名声，却并没有见过你。”

楚留香道：“所以你要考考我？”

黑衣老妪笑了笑，道：“我是要考考你，看看你的武功和机智，是不是像传说中那么高，看看你是不是有资格做我的女婿。”

楚留香苦笑道：“我若被你考死了呢？”

黑衣老妪淡淡道：“每个人这一生中，都难免一死的，是不是？”

她说得轻描淡写，别人的性命在她眼中看来，好像连一文都不值。

这也许因为她生长在一个冷酷的环境里，信奉的也是个奇怪的宗教，大家彼此都漠不关心，她根本没有真的接触过有血有肉的人，所以除了母女间的天性外，对别人她既不关心，也不重视。

楚留香却听得背脊上直冒冷汗，他本来还想问问她，为什么要砍断艾虹的手？

但现在他已发觉这一问是多余的了。

一个人若连别人的性命都不重视，又怎么会在乎别人的一只手？

黑衣老妪道：“你们经历过的每件事，都是我亲手安排的，你果然没有令我失望，所以我那天晚上才会去见你，然后再叫艾青和艾虹在外面接应，所以我算准你一定能到这里来的。”

楚留香忍不住叹了口气，道：“现在我还有件不明的事。”

黑衣老妪道：“你可以问。”

楚留香苦笑道：“你为什么不找别人，单单挑中我呢？”

黑衣老妪笑了笑，道：“我知道你是个很好看的男人，很容易得到女人的欢心，也知道你的武功和机智在江湖中都很少有人能比得上，何况你至今还是个单身汉，我相信有很多老太太若要挑女婿，都一定会挑中你。”

楚留香只好摸鼻子了。

黑衣老妪道：“但这些原因都不是最重要的。”

楚留香道：“哦！”

黑衣老妪道：“我挑中你，最重要的原因是，你做了件让我最高兴的事，所以我一直都在想法子报答你。”

楚留香愕然道：“我做了什么事？”

黑衣老妪道：“你替我杀了石观音。”

楚留香道：“你跟她有仇？”

黑衣老妪目中已露出怨毒之色，恨恨道：“她简直不是个人，是个吃人妖怪，而且专吃男人。”

楚留香用不着再问，他已可想象到。

石观音最大的乐趣，本就是抢别人的丈夫和情人，他杀了石观音之后，世界上必定有很多女人要报答他，对他表示感激。但楚留香却希望这是最后一次了，这样的报答法子，他实在受不了。

丈母娘看女婿，虽然愈看愈有趣，但女婿看丈母娘，却一定是愈看愈生气的。

幸好这丈母娘还算知趣，居然走了。

“你们很多天没见，一定有很多事要聊聊，我还是识相点的好。”

楚留香送她出去时，第一次觉得她多少有点人性。

张洁洁已从他背后抱住了他的腰，又在轻轻咬他的脖子。

楚留香叹了口气，苦笑道："你知不知道嘴除了咬人和吃鱼翅外，还有别的用处？"

张洁洁眨着眼，道："哦？还有什么用？"

楚留香道："说话，你母亲刚才不是要我们好好地聊聊吗？"

张洁洁道："我不要说话，我要……"

她又一口咬在楚留香脖子上，然后才吃吃笑道："我要什么，你难道不知道？"

楚留香的表情像很吃惊，失声道："就在这里？"

张洁洁道："不在这里在哪里？"

楚留香道："这里不行。"

张洁洁道："为什么不行？"

楚留香道："我要带你回到我们自己的家去，而且愈快愈好。"

张洁洁道："不行。"

楚留香道："为什么不行？"

张洁洁道："不行就是不行。"

楚留香笑道："你是不是不放心？是不是怕我被别的女人勾引？"

张洁洁冷笑道："你以为你真的人见人爱？你以为别人真少不了你？"

她忽然瞪起眼，板起了脸，大声道："你若真的要走，就一个人走吧，看我少不少得了你……你现在走还来得及。"她就像是只忽然被激怒了的猫，随时都准备伸出爪子来抓人了。

楚留香看着她，还是在微笑着，柔声道："你能少得了我，我却已少不了你。要走，我们就一起走，否则我们就一起留在这里。"

张洁洁道："真的？你真的愿意陪着我一起留在这里？"

楚留香张开双臂，拥抱住她，道：“当然是真的，难道你以为我还能离开你？”

张洁洁突又“嘤咛”一声，倒入他怀里。

楚留香捧住她的脸，轻轻托起，忽然发现她苍白美丽的面颊上又已挂满泪珠，忍不住道：“你在哭？为什么要哭？你难道还不相信我？”

张洁洁咬着嘴唇，道：“我相信你，但我也知道，嫁鸡随鸡，现在我已是你的妻子，你无论要去哪里，我都应该跟着你才是。”

她眼泪流得更多，垂首道：“但也就因为我是你的妻子，所以才连累了你，害了你。”

楚留香道：“怎会呢？”

张洁洁道：“你刚才有没有听见那些人为你发出的欢呼声？”

楚留香点头。

张洁洁道：“你知不知道那是什么意思？”

楚留香摇摇头。

张洁洁缓缓道：“那欢呼的意思就是说：他们已承认我们是夫妻，已接受你做我们家族中的一分子，所以……”

楚留香道：“所以怎么样？”

张洁洁垂首道：“只要成为这家族的一分子，就永远休想脱离。”

楚留香道：“你的意思是不是说，我们已永远不能离开这里？”

张洁洁道：“永远不能！”

楚留香的脸也不禁有些变了，要在这不见天日的地方度过一生，在他说来，简直是件不可思议的事。

张洁洁凝视着他，缓缓道：“我也知道你绝不会愿意永远留在这里的，你假如真的要走，也并不是绝对没法子可想。”

楚留香立刻问道：“还有什么法子？”

张洁洁慢慢地转过身子，才一字字地说道："就因为你是我的丈夫，所以才会成为这家族中的人，我看已……"

楚留香忽然扳住她的肩用力扳过来，用力抱住了她道："你不要再说，我已明白你的意思。"

张洁洁道："我……我……"

楚留香又打断了她的话，说道："你若死了，我就也不再是这家族的人，他们就会放我出去的，是不是？"

张洁洁凄然一笑，道："只要你活着快乐，我宁可死。"

楚留香目中似也有了泪光，紧拥着她，柔声道："现在我只希望你能明白一件事。"

张洁洁道："你说。"

楚留香道："我唯一觉得快乐的时候，就是跟你在一起的时候，所以你若真的想叫我活得快乐，就永远莫要离开我。"

张洁洁笑了。

她的笑，就像是黑暗中的第一颗飘星，阴霾中的第一线阳光。

她也紧紧拥抱住他，柔声道："我怎么舍得离开你……我死也不会再离开你。"

世间上本没有绝对的事情，但"时间"是不是例外呢？在有些人的感觉中，一天的时间，仿佛很快就已过去。因为他们快乐，勤奋，他们懂得享受工作的乐趣，也懂得利用闲暇，所以他们永远不会觉得时间难以打发。

另一些人的感觉中，一天的时间，过得就好像永远过不完一样。因为他们悲哀愁苦，因为他们无所事事，所以才会觉得度日如年。但无论人们怎么样感觉，一天就是一天，一个月就是一个月。

世上只有时间绝不会因为任何人、任何事而改变的，却可以改变很多事，甚至可以改变一切。

一个月已过去，楚留香是不是改变了呢？

张洁洁凝视着他，轻抚着他瘦削的脸，柔声道："你好像瘦了些。"

楚留香笑了笑，道："还是瘦些的好，我本来就一直在担心会发胖。"

张洁洁道："你说的话好像也比从前少了些。"

楚留香道："你难道会喜欢我变成很多嘴的长舌妇？"

张洁洁道："你来了已经快一个月。"

楚留香道："嗯。"

张洁洁道："你是不是觉得这一个月特别长？"

楚留香没有回答，却握起了她的手反问道："你究竟想跟我说什么？"

张洁洁垂下头，沉默了很久，才缓缓道："我知道你是过不惯这种日子的，所以才会变了，这样下去你总有无法忍受的一天。"

楚留香道："谁说的？"

张洁洁笑了笑，道："这世界上还有谁比我跟你更接近的？还有谁能比我更了解你的？我怎么会看不出来呢？"

她笑得很凄凉，接着又道："我当然也看得出你很喜欢我，正如我很喜欢你一样，所以我希望能够留住你，希望你在这里也能和以前同样快乐。"

楚留香说："你并没有想错。"

张洁洁摇了摇头，凄然笑道："我本来也以为自己没有想错，现在才知道错了，而且错得很厉害。"

楚留香道："为什么？"

张洁洁道："因为你……你本就不属于任何一个人的，本就没有人能独占你。"

楚留香道："我不懂。"

张洁洁道："你应该懂。"

她叹息了一声，接着道："因为除了我之外，世上还有很多人也跟我同样需要你。我虽然不愿离开你，他们也同样不能离开你。"

楚留香道："你是说我那些朋友？"

张洁洁道："不仅是你的朋友，还有许许多多别的人。"

楚留香道："什么人？"

张洁洁道："需要你帮助的人，需要你去为他们解决他们的困难和痛苦。"

楚留香道："你以为我应该为别人活着？"

张洁洁道："我不是这意思。"

她沉吟着，忽又接道："无论谁活在这世界上，都应该活得有乐趣，有意义，是不是？"

楚留香道："是。"

张洁洁道："有种人只有帮助别人的时候，他才会变得有乐趣，有意义，否则他自己的生命也会变得全无价值。"

楚留香道："你以为我是这种人？"

张洁洁道："你难道不是？"

楚留香说不出话来了。

张洁洁黯然道："女人都是自私的，我本来也希望能够完全独占你，可是，你这样下去，渐渐就会变成另外一个人的……变成不再是楚留香，到了那时，说不定我也不再喜欢你。"

她继又怅然笑道："既然如此，我们又何必一定要等到那一天呢？"

楚留香道："所以……所以你的意思是……"

张洁洁道："所以我觉得我应该让你走，因为你有你自己的生活，我不应该太自私，不应该用你的终生痛苦，来换取我的幸福。"

她轻抚着楚留香的脸，柔声道："也许这只不过因为我现在已长大了，已懂得真正的爱，是绝不能太自私的。"

楚留香凝视着她，也不知是痛苦，是酸楚，还是感激。

他忽然发觉她的确又长大了很多，成熟了很多，也像是完全变了个人。

是什么使得她改变的呢？

楚留香道："无论如何，我都不能留下你一个人在这里。"

张洁洁道："为什么不能？有很多女人岂非都是一个人留在家里的？她们若跟我一样自私，这世上又怎会有那么多名将和英雄？"

楚留香道："可是你不同。"

张洁洁道："有什么不同？我为什么就不能学学那些伟大的女人？我为什么就不能让我的丈夫到外面去帮助别人？"

楚留香道："因为你太寂寞，太孤独！我若走了……"

张洁洁忽然打断了他的话，道："你知道我现在为什么忽然肯放你去？"

楚留香道："为什么？"

张洁洁道："因为我知道以后绝不会再觉得寂寞。我知道你走了之后，还是会有人陪着我。"

她目光忽又变得说不出的温柔，说不出的明亮。

楚留香却忍不住问道："这个人是谁？"

张洁洁垂下头，轻轻道："你的孩子。"

楚留香整个人都几乎跳了起来，失声道："你已经有了我的孩子？"

张洁洁轻轻地点了点头。

楚留香用力握住了她，大声道："你已经有了我的孩子，还要我走？"

张洁洁柔声道："就因为我已有了你的孩子，所以才肯让你走，也正因为我已有了你的孩子，你才能放心走……这意思你也该明白的。"

楚留香道："我们为什么不能一起逃出去？"

张洁洁道："这些天来，你一直都暗中在查看着，想找出条路来逃走，是不是？"

楚留香只有承认。

张洁洁道："你找出来没有？"

楚留香道："没有。"

张洁洁叹了口气，道："你当然找不出的，因为这里本就只有两条出路。"

楚留香道："哪两条？"

张洁洁道："一条在议事厅里，这条路每个人都知道，但没有人能随意出入，因为那里不分昼夜，都有族中的十大长老在看守着，你就算有天大的本事，也休想从那些老人手下潜走。"

楚留香也只有承认，却又忍不住问道："第二条路呢？"

张洁洁道："第二条路只有一个人知道。"

楚留香道："谁？"

张洁洁道："圣教的护法人。"

楚留香眼睛里发出光，道："你的母亲？"

张洁洁点了点头，道："所以我若去求她放你走，她也许会答应的。"

楚留香目中充满了希望，道："她也许会让我们一起走。"

张洁洁叹息了一声，道："当然我也希望如此，可是……"

楚留香道："无论如何，我们总应该先问问她去，莫忘记她总是你亲生的母亲，没有一个母亲不希望自己女儿过得幸福的。"

母亲当然都希望自己女儿过得幸福，问题是，什么才算是真正的幸福呢？

幸福也不是绝对的。你眼中的幸福，在别人眼中也许是不幸。

这地方每间屋子本都是阴森森的，看不见阳光，看不见风。

这屋子里仿佛有风，却更阴森，更黑暗，谁也不知道风是从哪里来的。

黑衣老妪静静地坐在神龛前的蒲团上，动也不动，又仿佛亘古以来就已坐在这里，仿佛已完全没有感觉，没有感情。所以张洁洁虽已走进来，虽已在她面前跪下，她还是没有动，没有张开眼睛。

张洁洁也就这样静静地跪着，仿佛也忽然被这种亘古不散的沉静所吞没。

楚留香垂着手，站在她身后，他知道这是决定他们终生幸福的时刻，所以也只有忍耐着。

也不知过了多久，黑衣老妪才忽然睁开眼睛，她眼睛里像是有种可怕力量能看透他们的心。

她盯着他们，又过了很久，才一字字道："你们是不是想走？"

张洁洁头垂得更低，连呼吸都似已停顿。

楚留香终于忍不住道："我们是想走，只求你老人家放我们一条生路。"他从未求过任何人，从未说过如此委曲求全的话。但为了她，为了他们的孩子，他已不惜牺牲一切。

黑衣老妪凝视着他，缓缓道："这地方你已不能再留下去？"

楚留香道："我……"

黑衣老妪冷冷道："是就是，不是就不是，在我面前说话，用不着吞吞吐吐。”

楚留香长长吐出口气，道：“是，这地方我已不愿再留下去。”

黑衣老妪道：“为了她，你也不愿再留下去？”

楚留香道：“我要带她一起走。”

黑衣老妪道：“你已打定了主意？”

楚留香道：“是。”

黑衣老妪又凝视了他很久，突然道：“好，我可以让你走。”

楚留香大喜，道：“多谢……”

黑衣老妪不让他再说出下面的话，立刻又道：“我只有一个条件。”

楚留香道：“什么条件？”

黑衣老妪道：“先杀了我。”

楚留香怔住了。

黑衣老妪道：“你若不杀我，我还是一样要杀你，杀了你之后，再让你出去！”她慢慢站起来，冷冷接着道，“你妻子难道没有告诉过你，你既已做了本族圣女的丈夫，若是还要走，就得死！”

楚留香吃惊地看着张洁洁，道：“这也是你们的规矩？”

张洁洁点了点头，神色居然还是很平静。

楚留香道：“你……你为什么没有告诉我？”

张洁洁缓缓道：“因为现在已没有人能杀你！”

黑衣老妪抢着问道：“为什么？”

张洁洁道：“因为我已经有了他的孩子，我已决定要这孩子做我们的圣女，所以，他也已是圣女的父亲。”她眼睛在黑暗中发着光，一字字接着道：“谁也不能杀死圣女的父亲。”

黑衣老妪就像是突然被人重重一击，连站都站不住了。过了很久，才勉强冷笑道：“你怎知你肚里的孩子是男是女？”

张洁洁道：“我不知道——现在谁也不知道，所以……”

黑衣老妪厉声道：“所以还是可以杀他，因为你的孩子未必是女的。”

张洁洁道：“假如是女的呢？”

第十四章

来过 活过 爱过

谁知道天堂在哪里?

谁知道天堂是个什么样的地方?

谁知道怎么样才能走上去天堂的路?

没有人!

但只要你的心宁静快乐，人间也有天堂，而且就在你眼前，就在你心里。

这里当然不是天堂。

心怀愤恨的人，是永远看不见天堂的。

黑衣老妪目中就充满了愤怒，愤怒得呼吸都已开始急促。

张洁洁神情却更平静，慢慢地接着道:“我已不再圣洁无垢，也已不再是圣女，但我仍然有权选择谁来继承我，是不是?”

黑衣老妪沉默着，终于勉强点了点头。

张洁洁道:“本教中的经典规矩，只有你一个人有权解释，是不是?”

黑衣老妪道:“是。”

张洁洁道:“那么我的孩子只要一生出来，就已是本教的圣女，是不是?”

黑衣老妪道："是。"

张洁洁道："所以他立刻就成为圣父，是不是？"

黑衣老妪道："是。"

张洁洁道："圣父也同样是神圣不可侵犯的，无论谁伤害了他，都必遭天诛，万劫不复，这也是本教经典上记载的规矩，是不是？"

黑衣老妪道："是。"

张洁洁长长吐出了口气，微笑道："你看，我对这些经典和规矩，岂非也熟知得很？"

黑衣老妪凝视着她，缓缓道："所以你才能找得出这其中弱点，用我们的矛，来攻我们的盾。"

张洁洁又叹了口气，道："我本来也不想这么样的，只可惜我实在找不出别的法子。"

黑衣老妪冷笑道："这法子的确巧妙，只不过第一个想出这法子来的人，并不是你。"

张洁洁也显然有些惊讶，忍不住问道："不是我是谁？"

黑衣老妪道："是我！"

她目中的愤怒与仇恨更浓，一字字接着道："就因为我想出了这法子，所以你父亲才能走。"

张洁洁怔住。

黑衣老妪道："那时本教的圣女，是我最要好的姐妹，我要求她选你作她的继承人，就因为你父亲要走。"

张洁洁又忍不住问道："他为什么要走？"

黑衣老妪握紧双手，道："因为他觉得这地方就像是个牢狱，他要出去寻找更好的生活。"

张洁洁道："你答应了他？"

黑衣老妪咬着牙道："他也答应了我，只要他在外面能活得下去，就一定想法子回来接我。”

张洁洁道：“可是他……”

黑衣老妪嘶声道：“可是，他没有回来，永远都没有回来。”

她的脸看来忽然变得说不出的狰狞可怖——只有仇恨才能使一个人的脸变得如此可怖。

过了很久，她才嗄声接着道：“我一直在苦苦地等着他，为他担心，后来我才知道，他一出去就遇见了一个毒蛇般的女人，从此忘了我。”

楚留香也忍不住问道：“你说的那女人，可是石观音？”

黑衣老妪慢慢地点了点头，冷笑道：“他虽然遗弃了我，可是他自己后来也死在那女人手上。”

张洁洁道：“你没有去为他复仇？”

黑衣老妪道：“我不能去，也不想去。”

张洁洁道：“为什么不能去？”

黑衣老妪道：“因为他一出去，就已脱离了这家族，无论出了什么事，都已和这家族没有关系，就算死在路上，我们也不能去为他收尸的。”

她语声中也充满了怨毒之意，连楚留香都听得有些毛骨悚然。

又过了很久，张洁洁才嗫嚅着道：“无论如何，他总算走了。”

黑衣老妪道：“所以你就要我也放楚留香走？”

张洁洁垂下头，道：“我求你。”

黑衣老妪厉声道：“难道你也想过我这种日子？你知不知道这些年我是怎么活下来的？”

张洁洁不敢回答。

黑衣老妪道：“你知不知道我现在有多大年纪？”

她忽然问出这句话来，别的人更无法回答。

只见她脸上忽然露出一种很奇特的表情，也不知是讥嘲，还是伤痛。

她一个字一个字地慢慢接着道："我今年才四十一岁！"

楚留香的手突然冰冷。

他看着她苍老干瘪，满是皱纹的脸，看着她枯瘦佝偻的身子，看着她的满头白发……

他实在不能相信，这干瘪佝偻的老妪，竟是个只有四十一岁的女人！

"这些年的日子，我是怎么过的！"

你用不着再问她。

无论谁只要看到她的样子，就可以想象到她这些年来所忍受的痛苦和冷落，是多么可怕。

愤怒，妒忌，仇恨，寂寞，无论这其中任何一种感觉，都已是够将一个人折磨得死去活来。

张洁洁垂着头，泪珠似已将流下。

黑衣老妪又沉默了很久，才缓缓道："我不知道你为什么让他走，但我却知道，他走了之后，总有一天你会后悔的。"

张洁洁突然抬起头，大声道："我不会，绝不会。"黑衣老妪冷笑。

张洁洁看着她，脸上的表情坚决而明朗，道："因为我让他走，并不是因为他自己要走，而是因为我要他走的。"

黑衣老妪道："为什么？"

张洁洁道："因为我知道外面有很多人需要他，我也知道他在外面一定会比在这里更快乐。"

黑衣老妪道："可是你自己……"

张洁洁道："我将他留在这里，也许我会比较快乐。可是我若让他走，也许就会有一千个、一万个人觉得快乐。"

她眼睛里发着光，一种圣洁伟大的光，接着道："一个人快乐，总不如一千个人、一万个人快乐好，你说是吗？"

黑衣老妪道："可是你……你难道从不愿意替自己想想？"

张洁洁道："我也想过。"

她目中深情如海，凝视着楚留香，道："只有他快乐的时候，我才会觉得快乐，否则我纵然能将他留在身边，也会觉得同样痛苦。"

爱是牺牲，不是占有。

能了解这道理的，才能算是真正的女人。

因为这本是女性中最温柔、最伟大的一部分，就因为世上有这种女性，人类才能不断地进步，才能够永远生存！

张洁洁的目光更温柔，接着又道："何况，我已有了他的孩子，我一定会全心全意地好好照顾他，那么我就不会觉得寂寞。"

黑衣老妪的指尖又颤抖，道："你是说，我没有好好地照顾你？"

张洁洁垂下头，道："你……你可以做得更好的，只可惜……"

黑衣老妪厉声道："只可惜怎么样？"

张洁洁叹息着，说道："只可惜你心里的痛苦和仇恨都太深了，你若真的希望我快乐，就应该让他走的……他并不是我父亲，他是另一个人，你……你为什么一定要恨他？"

黑衣老妪紧握双拳，身子却还是在不停地颤抖，过了很久，忽然大声道："好，我让他走！"

张洁洁大喜。

可是她笑容露出来，黑衣老妪又接着道："只不过他只能走你父亲以前走的那条路，绝没有再让你们选择的余地！"

张洁洁道："哪条路？"

黑衣老妪道：“天梯！”

天梯！

什么叫天梯？

是不是到天堂的路？

听到这两个字，张洁洁的脸色突又变得苍白如纸，失声道：“为什么一定要走这条路？”

黑衣老妪道：“因为那也是经典上记载的规矩，绝没有人能违背。”

张洁洁道：“可是他……”

黑衣老妪厉声打断了她的话，道：“你莫非不知道，这家族中的人，无论谁想永远离开这里，都只有那一条路可走的，现在他岂非已是这家族中的人？”

张洁洁垂下头，轻轻道：“我知道，他……他是的。”

黑衣老妪道：“很好，你们现在可以走了，明天早上，我亲自为他送行！”

夜很静。

这里虽然看不见星光，也看不见夜色，但夜的本身仿佛就有种神秘奇妙的感觉，让你可以感觉到她已经来了。

楚留香仰面躺着，闭着眼睛——他是不是生怕眼泪流下？

张洁洁轻抚着他的脸，眼波中已不知流露出多少温柔，多少深情。

楚留香是不是不愿意去看呢？

张洁洁终于长长叹息了一声，道：“你为什么不看着我？难道不想多看我几眼？”

楚留香嘴角的肌肉在跳动，过了很久，才忽然道："是的。"

张洁洁道："为什么？"

楚留香道："因为你根本也不想我多看你！"

张洁洁道："谁说的？"

楚留香道："你自己。"

张洁洁笑了，勉强笑道："我说了什么？"

楚留香冷笑着，道："对了，你什么都没有说。可是我问你，你为什么不跟你母亲说，你也要跟我一起走？"

张洁洁垂下头，道："因为我知道，说了也没有用的。"

楚留香大声道："为什么？"

张洁洁凄然笑道："下一代的圣女还在我肚子里，我怎能走？"

楚留香道："所以……所以你要我一个人走？"

张洁洁道："是的。"

楚留香忽然跳了起来，大声道："你以为我一个人走了会快乐？你以为我肯让你和我的孩子，在这鬼地方过一辈子？"

张洁洁道："你错了。"

楚留香道："我哪点错了？"

张洁洁道："很多点。"她先掩住楚留香的嘴，不让他再叫出来，然后才柔声道，"我们不会在这地方过一辈子的，再过一阵子，就算我们还想留下来，这地方也许已经不存在了。"

楚留香道："为什么？"

张洁洁道："我们的祖先会住到这种地方来，只不过是因为他们经历过太多折磨和打击，已变得愤世嫉俗，古怪孤僻，他们知道别的人已看不惯他们，他们自己也看不惯别的人，所以他们才宁愿与世隔绝，孤独终生。"

楚留香在听着。

张洁洁道："可是这世界是一天天在变的，人的想法也一天天在变，上一代人的想法，永远和下一代有很大距离。"

楚留香在听着。

张洁洁道："现在上一代的人已死了，走了，下一代的人还留在这里，只不过因为他们对外面的世界有某种恐惧，生怕自己到了外面后，不能适应那种环境，不能生存下去。"

这点楚留香当然不会同意，立刻道："他们错了，一个人只要肯努力，就一定有法子生存。"

张洁洁道："他们当然错了，可是他们这种想法，也一定会渐渐改变的。等到他们想通了的时候，世界上就绝没有任何一种经典和规矩还能约束他们，也绝没任何事还能令他们留在这牢狱里。"

她笑了笑，接着道："到了那一天，这地方岂非就已根本不存在了？"

楚留香道："可是，这一天要等到什么时候才会来呢？"

张洁洁道："快了，我可以保证，你一定可以看到这一天。"

楚留香道："你保证？"

张洁洁点点头，道："因为我一定会尽我的力量，告诉他们，外面的世界并不如他们想象中那么残酷可怕，我一定会让他们了解，一个人若要活得快乐，就得要有勇气。"

她眼睛里又发出了光，慢慢地接着道："这不但是我应尽的义务，也是我的责任，因为他们也是我的姐妹兄弟。"

楚留香道："所以……你才一定要留下来。"

张洁洁柔声道："每个人活着都要有目的，有意义。我就算能跟你一起走，也未必是快乐的，因为我没有尽到我应尽的义务和责任，我一生活着就会变得全无价值，全无意义。"

楚留香道："据我所知，有很多女人都是为她们的丈夫和孩子而活着的，而且活得很有意义。”

张洁洁凄然笑道：“我知道，我也很羡慕她们，只可惜我命中注定不是她们那种人，也没有她们那么幸运。”

楚留香道：“为什么？”

张洁洁叹息着，道：“这道理你难道不明白？真的不明白？”楚留香不说话了。

张洁洁道：“就因为你也跟我一样，你也不能忘记你应尽的义务和责任，所以你才要走，而且非走不可。就算你自己能勉强自己留下来，也会渐渐变成个废物，甚至变成个死人。”

她说得不错。一个人若是活在一个完全不能发挥他能力和才干的地方，他一定会渐渐消沉下去，就算还能活下去，也和死相差无几。楚留香当然也明白的。

张洁洁轻抚着他，柔声道：“我喜欢的是你，不是死人，所以我绝不希望你改变，所以你为了我，也是非走不可的。”

楚留香终于长长叹息，道：“我直到现在才发现，我根本就从来没有真正了解过你。”

张洁洁道：“世上本就没有一个人能完全了解另一个人的，无论是夫妻，是兄弟，是朋友都一样。何况，女人本就天生不是被人了解的。”

楚留香道：“但现在我已确定一件事。”

张洁洁道：“什么事？”

楚留香凝视着她，目中竟似带着些崇敬之意，长叹道：“我以前从没有见过你这样的女人，以后只怕也永远不会再见到了。”

张洁洁道：“但你却一定会永远永远想着我的，是不是？”

楚留香道：“当然。”

张洁洁道：“这就已够了。”

她眼波更温柔，轻轻道："两情若是长久时，又岂在朝朝暮暮……"

楚留香忍不住紧握住她的手，道："我还希望你答应我一件事。"

张洁洁道："你说。"

楚留香道："好好地活下去，让我以后还能够看见你。"

张洁洁道："我一定会的。"

她的语声坚定而明朗，可是她的人，却似已化为一泓春水。她倒入楚留香怀里。

夜更静。喘息已平息。

张洁洁抬手轻拢着发边的乱发，忽然道："我要走了。"

楚留香道："走？现在就走？"

张洁洁点点头。

楚留香道："到哪里去？"

张洁洁迟疑着，终于下定决心，道："这家族中的人，无论谁想脱离，都只有一条路可走。"

楚留香道："你是说——天梯？"

张洁洁道："不错，天梯。"

楚留香道："这天梯究竟是条什么样的路？"

张洁洁的神情很沉重，缓缓道："那也许就是世上最可怕的一条路，没有勇气的人，是绝对不敢去走的。她要你走这条路，为的就是要考验你，是不是有这种勇气。"

楚留香道："哪种勇气？"

张洁洁道："自己下判断，来决定自己的生死和命运的勇气。"

楚留香道："这的确很难，没有勇气的人，是绝不敢下这种判断的。"

张洁洁道："不错，一个人在热血澎湃，情感激动时，往往会不顾一切，甚至不惜一死，那并不难，但若要他自己下判断来决定自己的生死，那就完全是两回事了，所以……"

她叹息了一声，接着道："我知道有些人虽已决心脱离这里，但上了天梯后，就往往会改变主意，临时退缩了下来，宁愿被别人看不起。"

楚留香道："天梯上究竟有什么？"

张洁洁道："有两扇门，一扇通向外面的路，是活路。"

楚留香道："还有一扇门是死路？"

张洁洁脸色发青，道："不是死路，根本没有路——门外就是看不见底的万丈深渊，只要一脚踏下，就万劫不复了！"

她喘息了口气，才接着道："没有人知道哪扇门外是活路，你可以自己选择去开哪扇门，但只要一开了门，就非走出去不可。"

楚留香的脸色也有些发白，苦笑道："看来那不但要有勇气，还得要有些运气。"

张洁洁勉强笑了笑道："我本来也不愿你去冒险的，可是……这地方也是个看不见底的深渊，你留在这里，也一样会沉下去，只不过沉得慢一点而已。"

楚留香道："我明白。"

张洁洁凝视着他，道："你是我的丈夫，是我最亲近的人，我当然不希望你是个临阵退缩的懦夫，更不愿有人看不起你，但我也不愿看着你去死，所以……"

楚留香道："所以你现在就要为我去找出哪扇门外是活路？"

张洁洁点头道："天梯就在圣坛里，现在距离天亮还有一两个时辰……"

楚留香道："但我却宁愿你留在这里，多陪我一个时辰也是好的。”

张洁洁嫣然一笑，柔声道：“我也希望能在这里陪着你，可是我更希望以后再见到你。”

她俯下身，在楚留香脸上亲了亲，声音更温柔，又道：“我很快就会回来的。”

这是楚留香听到她说的最后一句话——这句话正和她上次离开楚留香时说的那句话，完全一样。

“我很快就会回来的。”

为什么她要离开楚留香时，总是偏偏要说很快就会回来呢？

张洁洁没有再回来。

楚留香再看到她时，已在天梯下。

她脸色苍白，脸上的泪痕犹未干。

她眼睛里仿佛有千言万语要说，却连一个字都没有说出来。

楚留香想冲过去时，她已经走了——被别人逼走了。

她似已完全失去了抗拒的能力，只不过在临走时忽然间向楚留香眨了眨眼。

左眼。

眼睛岂非也正是人类互通消息的一种工具？

楚留香尽力控制着自己，他从不愿在任何人面前暴怒失态。

可是他心里的确充满了愤怒，忍不住道：“你们为什么要逼她走？”

黑衣老妪冷冷道：“没有人逼她走，正如没有人逼你走一样。”

楚留香道：“你至少应该让我们再说几句话。”

黑衣老妪道：“你既然已经是要走了，还有什么话可说？”

楚留香道：“可是你……”

黑衣老妪截断了他的话，道："可是你若真的有话要说，现在还可以留下来。"

楚留香道："永远留下来？"

黑衣老妪道："不错，永远留下来。"

楚留香长长吐出口气，道："你明知我不能留下来的。"

黑衣老妪道："为什么不能？你若真的对她好？为什么不能牺牲自己？"

楚留香道："因为她也不愿我这么样做！"

黑衣老妪道："你以为她真的要你走？"

楚留香道："你以为不是？"

黑衣老妪冷笑道："你真相信女人说的话？"

她冷笑着，接着道："我是她的母亲，我也是女人，我当然比你更了解她。她要你走，只不过因为她已伤透了心——她要你走，只不过因为她已永远不愿再见你。"

楚留香慢慢地点了点头，道："我已明白你的意思了。"

黑衣老妪道："你明白就好。"

楚留香神情反而平静下来，淡淡道："你不但希望她恨我，还希望我恨她，希望我们的遭遇，也和你们一样。"

黑衣老妪脸色变了。她当然知道他说的"你们"就是说她和她丈夫。他们岂非就是彼此在怀恨着？

楚留香的声音更平静坚决，道："但我却可以向你保证，你女儿的遭遇绝不会跟你一样，因为我一定会为她好好活下去，她也同样会为我好好活着，无论你怎么想，我们都不会改变的。"

黑衣老妪目光闪动，道："你真的相信自己说的这些话？"

楚留香道："是的。"

黑衣老妪忽然笑了，道："你若真的相信，又何必说出来？又何必告诉我？”

她笑得就像是根尖针，像是想一针刺入楚留香的心脏。

四十丈高的天梯，人在梯上，如在天上。

两扇门几乎是完全一模一样的，没有人能看得出其间的差别。生与死的差别！

楚留香站在门前，冷汗已不觉流下。

他经历过很多次生死一发的危险，也曾比任何人都接近死亡，有时甚至已几乎完全绝望。

但他却从未像现在这样恐惧过。因为这次他的生与死，是要他自己来决定的，但他自己却偏偏完全没有把握。世上绝没有任何事，能比被人逼你做无把握的决定更可怕。

你若非亲自体验过，也绝对想不到那有多么可怕。

左眼，是左眼。张洁洁是不是想告诉他，左边的一扇门外是活路？

楚留香几乎要向左边的这扇门走过去，但一双脚却似被条看不见的铁链拖住。

“你以为她真的要你走？”

“她要你走，只不过因为她已伤透了心，已不愿再见你！”

楚留香不能不问自己：“我是不是伤了她的心？是不是应该走？”

他从未觉得这件事做错，这地方本是个牢狱，像他这样的人，当然不能留在这里。

可是他又不能不问自己。

“我若真的对她好，是不是也可以为她牺牲，也可以留下来呢？”

“我是不是太自私？是不是太无情？”

"我若是张洁洁，若知道楚留香要离开我，是不是也会很伤心？"

你若真伤了一个女人的心，她非但永远不愿再见你，甚至恨不得要你死。

这道理楚留香当然也明白。

"她故意眨了眨左眼，是不是希望我一脚踩入万丈深渊中去？"

楚留香又几乎忍不住要走向右边的那扇门去，可是他耳畔却似又响起了张洁洁那温柔的语声。

"我喜欢的是你，不是死人，所以为了我，你也非走不可。"

"只要你快乐，我也会同样快乐，你一定要为我好好地活着。"

想起她的温柔，她的深情，他又不禁觉得自己竟然会对她怀疑，简直是种罪恶。

"我应该信任她的，她绝不会欺骗我。"

"可是，她暗示地眨了眨左眼，究竟是想告诉我什么呢？"

"是想告诉我，左边的一扇门才是活路，还是想告诉我，左边的一扇门开不得？"

所有的问题，都要等门开了之后才能得到解答。

应该开哪扇门呢？这决定实在太困难，太痛苦。楚留香只觉得身上的衣衫已被冷汗湿透。

黑衣老妪站在他身边，冷冷地看着他湿透了的衣衫，突然冷笑道："现在你是不是已后悔了？"

楚留香道："后悔什么？"

黑衣老妪道："后悔你本就不该来的，没有人逼你来，也没有人逼你走。"

楚留香道："所以我绝不后悔，无论结果如何，都绝不后悔，因为我已来过！”

他来过，活过，爱过。

他已做了他自觉应该做的事，这难道还不够？

黑衣老妪目光闪动，道：“你好像总算已想通了？”楚留香点点头。

黑衣老妪道：“那么你还等什么？”

楚留香忽然笑了笑，打开了其中的一扇门——他的手忽然又变得很稳定。

在这一瞬间，他已回复成昔日的楚留香了。他迈开大步，一脚跨出了门——

他开的是哪扇门呢？

没有人知道。

但这已不重要，因为他已来过，活过，爱过——无论对任何人说来，这都已足够。

《楚留香新传3：桃花传奇》完

相关情节请看《楚留香新传4：新月传奇·午夜兰花》

读客文化将出版以下古龙经典作品

《小李飞刀1：多情剑客无情剑》

《小李飞刀2：边城浪子》

《小李飞刀3：九月鹰飞》

《小李飞刀4：天涯·明月·刀》

《陆小凤传奇1：金鹏王朝》

《陆小凤传奇2：绣花大盗》

《陆小凤传奇3：决战前后》

《陆小凤传奇4：银钩赌坊》

《陆小凤传奇5：幽灵山庄》

《陆小凤传奇6：凤舞九天》

《陆小凤传奇7：剑神一笑》

《楚留香新传1：借尸还魂》

《楚留香新传2：蝙蝠传奇》

《楚留香新传3：桃花传奇》

《楚留香新传4：新月传奇·午夜兰花》

《七种武器1：长生剑·孔雀翎》

《七种武器2：碧玉刀·多情环》

《七种武器3：离别钩·霸王枪》

《七种武器4：愤怒的小马·七杀手》

《萧十一郎》

《火并萧十一郎》

《绝代双骄》

《欢乐英雄》

《三少爷的剑》

《流星·蝴蝶·剑》

《武林外史》

《白玉老虎》

《圆月弯刀》

《大人物》

《绝不低头》

《碧血洗银枪》

《彩环曲》

《苍穹神剑》

《大地飞鹰》

《风铃中的刀声》

《护花铃》

《剑毒梅香》

《剑客行》

《猎鹰·赌局》

《名剑风流》

《飘香剑雨》

《七星龙王》

《失魂引》

《血鹦鹉》

《英雄无泪》

《游侠录》

《月异星邪》